~ FAIT MAISON ~

BON & SAIN

RECETTES TESTÉES À LA MAISON

VEGAN

~ FAIT MAISON ~
BON & SAIN
RECETTES TESTÉES À LA MAISON
VEGAN
KAREN CHEVALLIER
Photographies : Aimery Chemin
Stylisme : Coralie Ferreira
hachette
CUISINE

SOMMAIRE

TECHNIQUES

ENTRÉES

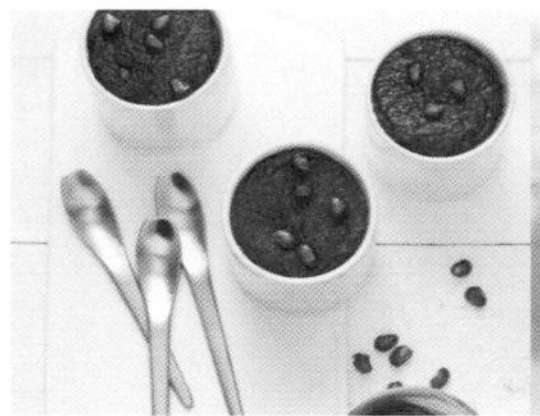

PLATS

DESSERTS

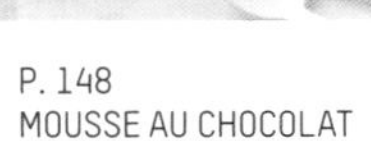

PETITES GOURMANDISES

PRÉFACE

Choisir de suivre une alimentation de type vegan, c'est-à-dire végétalienne stricte, c'est refuser toute exploitation abusive des animaux, mais aussi prendre soin de sa santé et de son bien-être. Mais arrêter de manger de la viande, du poisson, des œufs et des produits laitiers, c'est supprimer une bonne partie de vos apports en protéines, en calcium, en fer et en certaines vitamines indispensables à la santé ! Manger vegan ne s'improvise donc pas ! Les risques de carences sont importants, d'où la nécessité de bien équilibrer votre alimentation pour couvrir vos besoins en vitamines, en protéines et en oligoéléments avec les aliments exclusivement végétaux.

Heureusement, il existe aujourd'hui un large choix de produits alimentaires qui permettent de remplacer avantageusement les produits animaux, et même de réaliser de délicieuses préparations maison, tout en respectant l'idéologie vegan. Si vous avez ce livre entre vos mains, vous avez fait le premier pas dans cet univers végétal. Laissez-moi vous faire un petit tour d'horizon des aliments à éviter et de ceux vers lesquels vous pouvez vous tourner pour équilibrer vos repas, concocter de bons petits plats et vous régaler en toute occasion !

* **Marie-Laure André** est diététicienne en milieu hospitalier depuis plus de 15 ans où elle s'est spécialisée dans la prise en charge nutritionnelle de l'insuffisance rénale, du diabète et de l'obésité. Elle intervient également à l'Institut Universitaire de Technologie de Toulon - La Garde depuis plusieurs années auprès d'étudiants en diététique. Passionnée par l'alimentation-plaisir et par l'alimentation-santé, elle est l'auteure de plusieurs ouvrages de diététique et de recettes.

INTRODUCTION À LA CUISINE VEGAN

PAR MARIE-LAURE ANDRÉ, DIÉTÉTICIENNE*

LES ALIMENTS À ÉVITER

Dans la cuisine vegan, exit les viandes, volailles, charcuteries, œufs, poissons et autres produits de la mer, mais aussi tous les « sous-produits » animaux : les produits laitiers (lait, yaourts, fromages) et leurs dérivés (crème, beurre, glaces...), le miel... ainsi que tous les aliments en contenant : pains au lait, pâte brisée, biscuits au beurre, bonbons au miel et bonbons gélifiés...

Évitez les plats cuisinés du commerce, même « végétaux » (soupes, sauces diverses), qui contiennent souvent des ingrédients d'origine animale. Méfiez-vous de certains produits tels que les cubes de bouillon qui peuvent aussi contenir des produits animaux (il existe également des cubes de bouillon bio, aux légumes et sans produits animaux, vérifiez bien les étiquettes avant l'achat) et les margarines (présence possible de produits laitiers).

OUVREZ L'ŒIL SUR LA LISTE DES INGRÉDIENTS !

Des produits animaux peuvent se cacher derrière les dénominations suivantes (liste non exhaustive) : caséine, caséinate, hydrolysat de protéines, protéines texturées, gélatine, gelée, gélifiant (sans précision), lactose, lactosérum, fonds et bouillons, babeurre, graisses (sans précision)...

Pour échapper aux pièges des produits industriels, concoctez vous-même vos petits plats : vous contrôlez ainsi parfaitement ce que vous consommez et évitez les mauvaises surprises. Et cela tombe bien : les recettes qui suivent sont intégralement vegan !

BIEN LIRE LES ÉTIQUETTES

Lisez bien les étiquettes des produits alimentaires que vous achetez et attardez-vous longuement sur la liste des ingrédients : de nombreux aliments de fabrication industrielle peuvent contenir des produits animaux, sous forme de « gélatine » (mousses de fruits, confiseries, sorbets...), parfois cachée sous le code E441, ou encore d'additifs alimentaires élaborés à base d'animaux, comme c'est le cas pour le colorant rouge codé E120 (carmin, aussi appelé « rouge cochenille » et « acide carminique »), à base de cochenille (insecte), présent dans de nombreux produits, même végétaux (confiseries, sirops, sodas et boissons à base de fruits...). D'autres additifs peuvent être d'origine animale, notamment le lysozyme (conservateur codé E1105), le phosphate d'os (acidifiant codé E542) ou encore l'acide guanylique (exhausteur de goût codé E626). Soyez donc très attentif à la composition des produits que vous achetez ! D'une manière générale, préférez les produits frais et bruts (sans additifs) et évitez les plats cuisinés du commerce. Bref, il va falloir vous mettre aux fourneaux !

QUE METTRE AU MENU ?

• **Les fruits et légumes frais :** ils sont bien évidemment la base de l'alimentation vegan. Privilégiez les produits de saison et variez les préparations : jus de légumes, smoothies de fruits, salades composées, soupes, wok de légumes variés... Les fruits tels que la banane ou la pomme (en compote) peuvent aussi remplacer les œufs dans certaines recettes (gâteaux et cakes par exemple) en apportant de la légèreté. Vous pouvez également choisir des jus de fruits, des compotes ou des fruits au sirop du commerce, en prenant garde qu'ils ne contiennent pas de colorants (qui peuvent être d'origine animale).
• **Les légumineuses et les céréales :** associer blé, riz, épeautre, sarrasin, quinoa, teff... et lentilles, pois chiches ou haricots rouges vous permettra d'obtenir

un équilibre optimal en acides aminés essentiels (les acides aminés des uns complètent les acides aminés des autres pour former des combinaisons parfaites de protéines). Privilégiez toujours les produits bruts/secs aux produits cuisinés qui peuvent contenir des produits animaux (crème, lait, gélatine...). Les fécules de pomme de terre et de maïs servent de liant dans certaines recettes et remplacent ainsi les œufs.

• **Le soja :** il est à privilégier sous toutes ses formes pour son apport en protéines de bonne qualité. Vous pouvez intégrer directement des dés de tofu dans vos recettes, ou réaliser vous-même des steaks végétaux à partir de soja et de légumineuses (voir « Techniques », page 24). Pensez aussi à utiliser le tofu soyeux : il remplace agréablement la crème, le lait et les œufs dans les préparations sucrées ou salées. Vous trouverez aussi des protéines de soja texturées, très utiles pour réaliser certaines recettes telles qu'un hachis parmentier vegan (voir recette, page 106). Et en dessert, pensez aux yaourts au soja !

• **Les graines oléagineuses (noix, amandes, graines de courge, de sésame, de chia...) :** elles apporteront du croquant à vos plats et leurs vertus nutritionnelles sont exceptionnelles (magnésium, fer, calcium, protéines, oméga-3...). Vous pouvez aussi profiter de leurs bienfaits en les intégrant dans vos recettes sous forme de purée (tahin, purée d'amandes, de noisettes, de cacahuètes...) en remplacement de la crème fraîche et/ou du lait dans vos plats salés et sucrés (pâtes à tarte par exemple).

• **Les laits végétaux (amande, riz, épeautre, avoine, coco...) :** ils remplacent le lait de vache dans les préparations sucrées et salées (riz au lait végétal, crêpes...). Vous pouvez aussi en boire au petit déjeuner, nature ou aromatisé (à la vanille, au chocolat...). Vous en trouverez facilement en grande surface ou en magasin de produits biologiques. Dans tous les cas, préférez les versions enrichies en calcium.

• **Les algues :** spiruline, nori, dulse, wakamé... elles sont incontournables en alimentation vegan. Elles représentent une mine d'or nutritionnelle : protéines d'excellente qualité, acides gras essentiels, vitamines, fer, calcium, magnésium et composés antioxydants ! Vous pouvez les cuisiner (voir la recette du tartare d'algues, page 48, et celle de la soupe miso, page 60) ou les intégrer dans des salades composées.

• **Les graines germées :** leur intérêt réside dans leurs apports nutritifs, plus élevés que dans les céréales non germées : plus de vitamines et présence d'enzymes qui facilitent la digestion. Elles apportent également un petit côté croquant, très agréable dans les salades composées.

LES INDISPENSABLES DANS...

... MON RÉFRIGÉRATEUR
Laits végétaux : lait d'amande, lait de riz, lait d'avoine...
Crème de soja
Tofu soyeux
Tofu ferme
Fromage *vegan* (« faux-mage »)
Algues : nori, wakamé, spiruline ou dulse
Fruits frais
Légumes frais de saison
Compotes de fruits
Lait de coco
Jus de citron
Confitures
Sirop d'érable

... MON PLACARD
Farines de blé, d'épeautre
Sarrasin, riz, quinoa, millet, orge perlée, pâtes
Fécules de pomme de terre et de maïs
Agar-agar
Flocons d'avoine
Chapelure
Purée d'oléagineux : purée d'amandes, de sésame, de cacahuètes, de noisettes...
Pain de mie
Sauce soja / tamari
Graines oléagineuses : sésame, noix, amandes, chia, lin
Légumineuses : lentilles, pois chiches, flageolets, haricots rouges ou blancs...
Levure alimentaire, germe de blé
Sucre de canne, sirop d'agave
Bicarbonate de soude
Huiles végétales : colza, noix, olive...

COMMENT COUVRIR SES BESOINS EN...

• **Protéines :** pour remplacer les viandes, poissons, œufs et produits laitiers, vous devez piocher quotidiennement dans les sources de protéines végétales : légumineuses (lentilles, pois chiches, haricots rouges ou blancs, flageolets...), soja sous toutes ses formes (jus, tofu ferme ou soyeux, tempeh...), graines (amandes, noix, noisettes, lin...) et céréales (blé, quinoa, sarrasin, millet...). Pour un apport optimal en acides aminés essentiels qui sont les constituants des protéines, associez systématiquement une légumineuse avec une céréale : leurs acides aminés sont complémentaires.

• **Calcium :** les produits laitiers, exclus de l'alimentation vegan, ne constituent pas la seule source de calcium. Par ailleurs, sachez que seuls 30 à 40 % du calcium laitier sont réellement absorbés par l'organisme. Les légumes, et notamment les légumes à feuilles tels que les épinards et les choux (chou vert, brocoli, kale...), mais aussi les amandes, le tofu et les aliments issus du soja (yaourts, steaks de soja, protéines de soja texturées), et même plusieurs eaux minérales apportent du calcium en quantité non négligeable (certaines eaux apportent jusqu'à 500 mg/l de calcium, avec un taux d'absorption équivalent ou parfois supérieur à celui du lait).

• **Fer :** on trouve du fer dans de nombreux produits végétaux mais il est beaucoup moins bien absorbé que le fer animal. Pour augmenter le taux d'absorption, associez les aliments riches en fer (épinards, lentilles, choux, algues) avec de la vitamine C (agrumes, kiwi, poivron, cassis...). Par exemple, terminez votre repas par un kiwi quand vous mangez une salade de lentilles, ou associez des quartiers de pamplemousse à votre salade de jeunes pousses d'épinards. Faites attention à ne pas abuser du thé (noir surtout) car les tanins qu'il contient réduisent l'assimilation du fer par l'organisme.

• **Vitamine D :** elle est très peu présente dans les produits végétaux (sauf dans les produits à base de soja enrichis) mais bonne nouvelle : l'exposition au soleil nous permet de couvrir une bonne partie de nos besoins journaliers ! Et vingt minutes par jour d'exposition du visage et des mains suffisent pour faire le plein de cette précieuse vitamine ! Les risques de carence subsistent dans les périodes où l'ensoleillement est faible (en hiver). Par précaution, demandez à votre médecin un dosage sanguin de la vitamine D et, au besoin, faites-vous prescrire une ampoule en hiver.

• **Vitamine B12 :** les risques de carence en vitamine B12 sont élevés quand on suit une alimentation végétalienne : en effet, cette vitamine est essentiellement présente dans les produits animaux. On trouve de la vitamine B12 dans quelques produits végétaux comme les algues (spiruline, nori), mais cette forme de vitamine D n'est pas bien assimilée par l'organisme. Il est plus prudent de recourir à une supplémentation régulière sous forme d'ampoules : demandez conseil à votre médecin.

• **Oméga-3 :** les risques de carence sont faibles car ces précieux acides gras (indispensables car l'organisme ne sait pas les synthétiser) sont présents dans plusieurs aliments végétaux : les noix, les graines de chia et de lin, certaines huiles (de cameline, de colza, de noix et de soja), le germe de blé... Certains légumes en sont également assez bien pourvus et contribuent à la couverture de nos besoins : la mâche, les épinards, le cresson, le pourpier. Pour couvrir vos besoins, faites le plein de légumes et variez les huiles végétales en associant une huile riche en oméga-3 avec une huile riche en acides gras mono-insaturés qui protègent le cœur et ses vaisseaux : huile de colza et huile d'olive par exemple.

MES MENUS 100 % VEGAN

JOUR 1	JOUR 2
PETIT DÉJEUNER	
Thé vert à la menthe - **Brioche (p. 170)** - Orange pressée	Café noir - **Granola (p. 178)** - **Yaourt au soja (p. 156)** - Kiwi
DÉJEUNER	
Samoussa épinard et cresson (p. 66) - Quinoa aux courgettes - Poire	Carottes râpées au citron - **Wok de courgette au tofu (p. 88)** - Tagliatelles - Pomme cuite à la cannelle
DÎNER	
Pamplemousse - **Steak de lentilles et tomates à la provençale (p. 98)** - **Gâteau de semoule (p. 162)**	**Velouté de pois cassés (p. 62)** - **Végé burger (p. 82)** - Salade verte - Banane

Vous avez maintenant toutes les clés pour manger vegan ! Il ne vous reste plus qu'à tester les recettes qui suivent : elles vous permettront de vous « faire la main » dans l'univers 100 % végétal et de vous régaler en toute occasion : pour les repas du quotidien comme pour les menus de fêtes. Bon appétit !

TECHNIQUES

1
2
3

PRÉPARER LES LÉGUMINEUSES

1 Faites tremper les légumineuses dans un grand volume d'eau : 4 h pour les lentilles et les pois cassés, 1 nuit pour les flageolets, les haricots blancs ou rouges et les pois chiches. Grâce au trempage, le temps de cuisson sera diminué et elles seront plus digestes.

2 Jetez l'eau de trempage et mettez les légumineuses à cuire dans 3 fois leur volume d'eau, accompagnées d'un morceau de kombu. Cette algue a des propriétés émollientes, elle diminuera le temps de cuisson et attendrira les légumineuses. Comptez de 10 min de cuisson pour des lentilles corail jusqu'à 2 h pour les plus gros haricots.

3 Pour s'assurer que les légumineuses sont bien cuites, vous devez pouvoir les écraser à la fourchette. Servez-les avec des céréales. Le rapport idéal est de ⅔ de céréales pour ⅓ de légumineuses afin de bénéficier de tous les acides aminés essentiels.

1
2
3

CUIRE DES CÉRÉALES À L'ÉTOUFFÉE

1 La cuisson à l'étouffée est une cuisson lente dans un récipient fermé, comme une cocotte ou une casserole munie d'un couvercle.

2 Mesurez le volume de céréales dans un verre doseur, rincez-les bien sous l'eau. Quand vous cuisinez des céréales complètes, faites-les tremper toute une nuit au préalable. Mettez les céréales dans la cocotte et versez de 2 à 4 fois leur volume d'eau suivant la graine. Laissez cuire à couvert à feu doux, le temps que toute l'eau soit absorbée.

3 Comptez 15 min pour le millet ou le quinoa dans 2 fois leur volume d'eau. Pour l'épeautre ou l'orge, comptez 45 min dans 4 fois leur volume d'eau. N'hésitez pas à vous référer aux indications fournies sur les paquets.

PRÉPARER UN STEAK DE LÉGUMINEUSES

Un classique de la cuisine vegan, les steaks de légumineuses vous serviront à garnir des burgers végétaliens ; vous pourrez aussi les déguster accompagnés de légumes, de céréales ou d'une belle salade. Il vous faudra des légumineuses cuites (au choix, lentilles, haricots rouges, pois chiches...), de la fécule de maïs ou de pomme de terre, une purée d'oléagineux, un oignon, une gousse d'ail, un peu d'huile d'olive, du sel et des épices à votre convenance.

1 Pour 4 steaks, écrasez 200 g de légumineuses. Faites revenir l'oignon haché dans de l'huile d'olive et ajoutez-le aux légumineuses. Ajoutez 1 cuil. à soupe de fécule diluée dans 2 cuil. à soupe d'eau. Incorporez 1 cuil. à soupe de purée d'oléagineux et la gousse d'ail pressée. Mélangez à la main avec 1 trait d'huile d'olive, du sel et des épices au choix.

2 Façonnez 4 steaks, puis faites chauffer de l'huile d'olive dans une poêle. Faites cuire de chaque côté jusqu'à ce que les steaks soient bien dorés.

1
2

1
2
3

REMPLACER LES ŒUFS DANS UNE RECETTE

1 En cuisine vegan, pas d'œuf, mais vous pouvez vous en passer avec quelques astuces. Comme liant dans une recette, vous pouvez remplacer 1 œuf par 50 g de tofu soyeux ou par 1 cuil. à soupe de fécule de pomme de terre ou de maïs diluée dans 2 cuil. à soupe d'eau.

2 Pour apporter de la légèreté et humidifier une préparation, vous pouvez remplacer 1 œuf par 50 g de compote de pommes. Une demi-banane aura la même fonction, mais on la réservera aux recettes sucrées.

3 Les graines de lin moulues et mélangées avec un peu d'eau pourront également se substituer à 1 œuf. Le yaourt de soja sera préféré dans les recettes qui ont besoin d'un agent levant. La poudre à lever peut aussi remplacer le blanc d'œuf dans un gâteau.

1
2
3

PRÉPARER UN LAIT VÉGÉTAL MAISON

1 Si vous possédez un blender, vous pouvez tester le lait de sésame. Mixez à pleine puissance 50 g de graines de sésame avec 25 cl d'eau, puis filtrez.

2 Pour un lait de châtaigne maison, faites chauffer 25 g de farine de châtaigne avec 50 cl d'eau tout en mélangeant. Après ébullition, faites cuire 3 min à feu doux en continuant de mélanger. Puis filtrez et laissez refroidir.

3 Pour un lait d'amande express, délayez 50 g de purée d'amandes dans 50 cl d'eau tiède. Encore plus rapide au blender, cette technique est valable aussi avec la purée de sésame ou encore les purées de noix de cajou ou de pistaches. Évitez d'utiliser les purées complètes, préférez les blanches pour cette technique.

À SAVOIR
Il existe plusieurs types de poudres pour fabriquer des boissons instantanées végétales, très pratiques pour éviter de stocker des briques toutes faites. Très simples d'utilisation, elles se diluent dans l'eau.

UTILISER L'AGAR-AGAR

Gélifiant végétal hors du commun, l'agar-agar est aussi réputé pour ses propriétés liantes, émulsifiantes, épaississantes, et se substitue idéalement à la gélatine animale dans une alimentation vegan. C'est un extrait d'algues marines rouges.

1 Pour gélifier une préparation, il faut compter en général 2 g d'agar-agar en poudre pour 50 cl de liquide. Il faudra en ajouter un peu plus pour une préparation acide. Vous trouverez dans le commerce des dosettes de 2 ou 4 g, très pratiques.

2 Portez la préparation à ébullition pendant 30 s et laissez refroidir. En refroidissant, la préparation va se gélifier.

1

2 doses
de 4 g
Extrait d'algues marines
Gélifiant
alimentaire végétal
AGAR-AGAR
BIO
Zeealgenextract
Seaweed extract
Nat ali

2

UTILISER LES PURÉES D'OLÉAGINEUX

Les purées d'oléagineux sont intéressantes du point de vue nutritionnel car elles sont composées d'acides gras insaturés, ce qui en fait des substituts de choix aux graisses animales. Elles serviront pour remplacer tout ou partie de la crème ou du beurre dans les recettes.

1 Pour remplacer le beurre dans un gâteau, mélangez purée d'oléagineux et huile d'olive. Délayez 1 cuil. à soupe de purée d'amandes dans un peu d'eau pour avoir un substitut de crème fraîche. Délayez dans un plus grand volume d'eau, et vous obtenez un lait végétal.

2 Vous trouverez de la purée d'amandes, de noix de cajou, de sésame, de noisettes, de pistaches. La purée de cacahuètes – des légumineuses – s'utilisera de la même façon.

1
2
2.5 mL ½ TEASPOON

1
2
3
4

FAIRE GERMER DES GRAINES

1 Faites tremper 2 cuil. à soupe de graines à germer pendant 1 nuit dans une eau faiblement minéralisée. Le lendemain matin, rincez-les et égouttez-les. Mettez-les dans un bocal avec de la gaze tenue par un élastique par-dessus. Il faut que l'air passe, mais pas les insectes.

2 Posez le bocal sur le rebord de l'évier par exemple, il doit être incliné pour que l'eau ne stagne pas dedans. Les graines pourraient pourrir si l'eau stagnait. Mettez les bocaux à la lumière non directe et dans un endroit tempéré.

3 Ensuite, pour rincer, vous n'aurez qu'à mettre de l'eau au travers de la gaze, mélanger doucement et vider l'eau. Vous devez rincer les graines 2 fois par jour, matin et soir, un peu plus s'il fait très chaud.

4 Suivant les variétés, les graines seront consommables pendant 3 à 10 jours. Dès que les premières petites feuilles sont visibles, vous pouvez les consommer. Pour les légumineuses, dès qu'une petite racine apparaît, vous pouvez y aller.

ENTRÉES

SALADE DE CHOU KALE À LA GRENADE

POUR 4 PERSONNES
15 MIN DE PRÉPARATION
FACILE
COÛT €

8 feuilles de chou kale • 1 grenade • Le jus de 1 orange • 4 cuil. à soupe d'huile de lin • 2 betteraves crues • 1 cuil. à soupe de graines de sésame • 1 pincée de sel

1 Lavez les feuilles de chou kale, ôtez la nervure centrale. Hachez-les grossièrement et mettez-les dans un saladier.

2 Ajoutez le sel et l'huile de lin dans le jus d'orange. Versez sur les feuilles de chou kale et malaxez-les, pour les attendrir. Réservez.

3 Épluchez les betteraves, râpez-les et ajoutez-les dans le saladier.

4 Récupérez les graines de la grenade en la pressant avec une main et ajoutez-les dans le saladier.

5 Saupoudrez de graines de sésame et servez aussitôt.

ASTUCE

Pas de chou kale à disposition ? Utilisez des pousses d'épinards frais.

SANS
GLUTEN

RÂPÉ DE POTIMARRON
ET CAROTTE

POUR 4 PERSONNES
15 MIN DE PRÉPARATION
FACILE
COÛT €

200 g de potimarron • 200 g de carottes • 1 gousse d'ail • 8 brins de persil plat • 2 cuil. à soupe de vinaigre balsamique • 1 cuil. à café de moutarde • 2 cuil. à soupe d'huile de colza • 2 cuil. à soupe d'huile d'olive • 3 poignées de graines de courge • 1 pincée de sel

1 Épluchez le potimarron et les carottes, râpez-les.

2 Épluchez la gousse d'ail et effeuillez le persil. Pressez l'ail et hachez le persil. Réservez.

3 Dans un bol, préparez une vinaigrette. Versez le vinaigre, ajoutez le sel, puis la moutarde. Délayez avec les huiles et enfin incorporez 1 cuil. à soupe d'eau pour alléger la vinaigrette. Ajoutez le persil et l'ail et mélangez.

4 Disposez le mélange potimarron-carottes dans le plat de service et versez un peu de vinaigrette par-dessus. Ajoutez les graines de courge. C'est prêt !

ASTUCE
Beaucoup de courges peuvent se déguster crues, essayez avec une courge butternut ou une courge musquée.

TABOULÉ DE BROCOLI

POUR 4 PERSONNES
15 MIN DE PRÉPARATION

FACILE
COÛT €

1 tête de brocoli • Le jus de 1 citron • 1 petit oignon frais • 1 gousse d'ail • Quelques feuilles de menthe fraîche • 1 poignée d'amandes émondées • 3 cuil. à soupe d'huile d'olive • Sel et poivre

1 Coupez la tête de brocoli en bouquets et lavez-les.

2 À l'aide d'un couteau aiguise, prélevez les boutons floraux des bouquets (les petites graines vertes). Vous pourrez faire une purée ou une quiche avec les restes de brocoli.

3 Faites mariner les boutons floraux du brocoli dans le jus de citron.

4 Pendant ce temps, épluchez l'oignon et la gousse d'ail. Hachez-les, ainsi que les feuilles de menthe. Mélangez-les et ajoutez-les sur le brocoli.

5 Concassez grossièrement les amandes et ajoutez-les.

6 Versez l'huile d'olive par-dessus, salez, poivrez et mélangez une dernière fois avant de servir.

SANS
GLUTEN

ROULEAU PRINTANIER

POUR 4 PERSONNES

UN PEU DIFFICILE
COÛT €

30 MIN DE PRÉPARATION
5 MIN DE CUISSON

2 carottes • 150 g de vermicelle de riz • 4 feuilles de riz • 4 brins de coriandre • 100 g de germes de soja • 3 cuil. à soupe de tamari • 2 cuil. à soupe de sirop d'agave • 1 gousse d'ail • 1 cuil. à soupe de vinaigre blanc

1 Lavez, épluchez et râpez les carottes. Réservez.

2 Faites cuire le vermicelle de riz comme indiqué sur le paquet et passez-le sous l'eau froide.

3 Humidifiez 1 feuille de riz, déposez au centre des feuilles de coriandre puis 1 petite poignée de carottes râpées, 1 poignée de vermicelle de riz et enfin 1 petite poignée de germes de soja. Roulez en serrant bien la feuille de riz et en rabattant sur les côtés.

4 Faites de même avec les autres feuilles.

5 Préparez la sauce. Mélangez le tamari, le sirop d'agave, la gousse d'ail émincée, 1 pincée de carottes râpées, le vinaigre blanc et 2 cuil. à soupe d'eau.

6 Trempez les rouleaux de printemps dans cette sauce et dégustez !

SANS
GLUTEN

MAKI DE CHOU VERT

POUR 4 PERSONNES

UN PEU DIFFICILE
COÛT €

20 MIN DE PRÉPARATION
3 MIN DE CUISSON

4 feuilles de chou vert frisé • 250 g de riz à sushi cuit et vinaigré • 4 cuil. à soupe de graines de sésame • 4 cuil. à soupe de graines germées de radis • 1 cuil. à café de zeste de citron • ½ concombre • Sauce soja

1 Faites blanchir les feuilles de chou vert frisé 3 min dans l'eau bouillante. Égouttez et laissez refroidir. Coupez les feuilles en deux et ôtez les nervures centrales, trop coriaces.

2 Étalez le riz sur les feuilles de chou, saupoudrez de graines de sésame.

3 Ajoutez au centre une ligne de zeste de citron, puis tracez une ligne avec les graines germées de radis.

4 Épluchez le demi-concombre, coupez-le en rondelles de 0,5 cm d'épaisseur et placez-en une au centre, sur les graines germées.

5 Roulez les makis bien serrés et coupez-les en morceaux de la taille d'une bouchée.

6 Servez avec la sauce soja salée.

SANS
GLUTEN

TARTARE D'ALGUES

POUR 4 PERSONNES

15 MIN DE PRÉPARATION
1 H DE REPOS

FACILE
COÛT €

MATÉRIEL

Mixeur

10 g d'algues dulse en paillettes • 5 g d'algues nori en paillettes • 2 cuil. à soupe de vinaigre de cidre • 1 petite échalote • 1 cuil. à soupe de purée de noix de cajou • 2 cuil. à café de câpres • 5 cl d'huile de noix

1 Dans un bol, mélangez les algues dulse et nori en paillettes et mouillez-les avec 5 cuil. à soupe d'eau.

2 Pendant qu'elles se réhydratent, versez dans le bol du mixeur le vinaigre de cidre, l'échalote épluchée, la purée de noix de cajou, l'huile de noix et les câpres.

3 Mixez à pleine puissance pour obtenir un mélange bien homogène. Versez sur les algues et mélangez.

4 Laissez reposer 1 h avant de déguster sur des toasts ou avec des dips de légumes.

ASTUCE
Variez les types d'algues et remplacez le vinaigre par du jus de citron.

SANS
GLUTEN

FAUX TARAMA

POUR 4 PERSONNES

15 MIN DE PRÉPARATION
3 H DE TREMPAGE

FACILE
COÛT €

MATÉRIEL

Mixeur muni d'une lame en S

100 g de noix de cajou • 100 g de cerneaux de noix • 10 cl de crème d'amandes • 3 cl de jus de citron • 20 g de betterave crue • 2 cl d'huile de colza • Sel et poivre

1 Faites tremper pendant 3 h les noix de cajou et les cerneaux de noix. Égouttez-les. Déposez-les dans le bol du mixeur.

2 Ajoutez la crème d'amandes, le jus de citron et l'huile de colza, ainsi que la betterave épluchée et coupée en petits morceaux.

3 Salez, poivrez et mixez. Faites-le en plusieurs fois pour éviter que la préparation ne chauffe trop. Servez sur des toasts.

ASTUCE

Pour accentuer naturellement la couleur rose, ajoutez un peu de poudre de betterave.

SANS
GLUTEN

HOUMMOS À L'AVOCAT

POUR 4 PERSONNES

10 MIN DE PRÉPARATION

FACILE
COÛT €

MATÉRIEL

Mixeur

200 g de pois chiches cuits • 1 avocat bien mûr • 5 cl de jus de citron • 1 gousse d'ail • 1 cuil. à soupe de tahin (purée de sésame) • 3 cl d'huile d'olive • 2 pincées de sel

1 Dans le bol du mixeur, déposez les pois chiches.

2 Épluchez l'avocat, coupez-le en deux, ôtez le noyau et ajoutez la chair dans le mixeur.

3 Versez par-dessus le jus de citron et le sel. Épluchez la gousse d'ail, dégermez-la et ajoutez-la dans le mixeur.

4 Enfin, ajoutez le tahin et l'huile d'olive avant de mixer 1 min à pleine puissance. Ajoutez de l'eau si vous désirez une consistance moins ferme.

ASTUCE
Dégustez sur du pain libanais.

SANS
GLUTEN

GUACAMOLE À LA SPIRULINE

POUR 4 PERSONNES

15 MIN DE PRÉPARATION

FACILE
COÛT €

1 gros avocat • Le jus de 1 citron vert • 2 brins de basilic • 1 petit oignon • 2 cuil. à café de spiruline en poudre • 1 pincée de piment d'Espelette • Sel

1 Coupez l'avocat en deux, ôtez le noyau et prélevez la chair. Coupez-la en dés.

2 Versez le jus de citron vert sur l'avocat. Écrasez les morceaux d'avocat à la fourchette.

3 Hachez finement les feuilles de basilic et le petit oignon épluché. Ajoutez-les à la préparation et mélangez.

4 Ajoutez la spiruline, le piment d'Espelette et salez. Mélangez bien et servez avec des tortillas ou des nachos.

ASTUCE

Vous pouvez essayer le guacamole au tartare d'algues également.

SANS
GLUTEN

BRUSCHETTA AUX GRAINES GERMÉES

POUR 4 PERSONNES

10 MIN DE PRÉPARATION
20 MIN DE CUISSON

FACILE
COÛT €

MATÉRIEL

Mixeur

4 tranches de pain au levain • 4 cuil. à soupe de graines germées de radis • 2 tomates • 1 bouquet de basilic • 1 gousse d'ail • 4 cl d'huile d'olive • 30 g de pignons de pin • 2 pincées de sel

1 Lavez les tomates, ôtez le pédoncule et coupez-les en petits dés. Mettez-les dans un bol. Ajoutez 1 pincée de sel, mélangez et réservez.

2 Rincez le basilic, effeuillez-le et mettez les feuilles dans le bol d'un mixeur. Épluchez la gousse d'ail, dégermez-la et ajoutez-la dans le basilic.

3 Incorporez l'huile d'olive, 1 pincée de sel et les pignons de pin. Mixez finement et réservez.

4 Faites griller les tranches de pain, répartissez dessus la préparation au basilic, puis disposez les dés de tomates et enfin les graines germées de radis avant de déguster aussitôt.

ASTUCE

Essayez avec des graines germées de lentilles ou encore de tournesol.

VELOUTÉ DE BUTTERNUT
AU TEMPEH

POUR 4 PERSONNES

10 MIN DE PRÉPARATION
20 MIN DE CUISSON

FACILE
COÛT €

MATÉRIEL

Mixeur plongeant

1 courge butternut • 100 g de tempeh • 2 gousses d'ail • 5 cl de crème de soja • 2 cl d'huile d'olive • Sel et poivre

1 Épluchez la courge butternut, ôtez les graines et coupez la chair en dés. Réservez.

2 Coupez le tempeh en morceaux. Épluchez les gousses d'ail. Réservez.

3 Faites chauffer l'huile d'olive dans une cocotte, déposez dedans les morceaux de courge butternut, le tempeh et l'ail. Faites blondir légèrement avant de recouvrir d'eau. Salez et poivrez. Laissez cuire 20 min.

4 En fin de cuisson, versez la crème de soja et mixez finement à l'aide du mixeur plongeant. Dégustez chaud.

ASTUCE

Vous pouvez aussi réaliser ce velouté avec du chou-fleur ou du brocoli.

SANS
GLUTEN

SOUPE MISO

POUR 4 PERSONNES

FACILE
COÛT €

15 MIN DE PRÉPARATION

3 cuil. à soupe de miso • 3 cuil. à soupe de sauce soja salée • 1 petit poireau • 100 g de tofu ferme nature • 40 g d'algues wakamé au sel

1 Dans un saladier, déposez le miso et la sauce soja. Faites bouillir 1 l d'eau, versez-la par-dessus et réservez.

2 Lavez le poireau et coupez-le en fines rondelles. Ajoutez-les dans l'eau.

3 Coupez le tofu en dés et ajoutez-les également.

4 Rincez le wakamé, puis coupez-le en tronçons de 1 cm et ajoutez-les dans l'eau. Servez bien chaud.

VELOUTÉ DE POIS CASSÉS

POUR 4 PERSONNES

15 MIN DE PRÉPARATION
2 H DE TREMPAGE
55 MIN DE CUISSON

FACILE
COÛT €

MATÉRIEL

Mixeur plongeant

300 g de pois cassés • 1 morceau de 10 cm d'algue kombu • 300 g de petits pois en boîte • 1 branche de céleri • 1 oignon • 10 cl de lait de coco • 1 pincée de gingembre en poudre • 1 pincée de curcuma en poudre • Sel

1 Faites tremper les pois cassés pendant 2 h. Rincez-les bien avant de les mettre à cuire avec l'algue kombu dans une grande cocotte dans 4 fois leur volume d'eau pendant 30 min.

2 Égouttez les petits pois et ajoutez-les dans la cocotte. Lavez et coupez le céleri en rondelles et ajoutez-le également.

3 Épluchez l'oignon, coupez-le en huit et ajoutez-le dans la cocotte. Prolongez la cuisson de 15 min à couvert.

4 En fin de cuisson, ajoutez le lait de coco, le gingembre et le curcuma avant de mixer. Salez à votre convenance et dégustez chaud.

SANS
GLUTEN

CAKE AUX TOMATES CONFITES

POUR 8 PERSONNES

FACILE
COÛT €

15 MIN DE PRÉPARATION
45 MIN DE CUISSON

80 g de tomates séchées • 170 g de farine de blé T 65 • 70 g d'arrow-root • 10 g de poudre à lever • 150 g de tofu soyeux • 10 cl de lait de coco • 150 g de courgette • 5 cl d'huile d'olive • 1 cuil. à café de sel • Poivre noir

1 Préchauffez le four à 180 °C (th. 6).

2 Dans un saladier, mélangez la farine de blé, l'arrow-root, la poudre à lever et le sel. Ajoutez quelques tours de poivre noir. Réservez.

3 Mélangez le tofu soyeux avec le lait de coco et l'huile d'olive, ajoutez 4 cl d'eau. Versez sur la préparation précédente et mélangez au fouet pour obtenir une pâte homogène.

4 Lavez la courgette en conservant la peau et coupez-la en dés. Coupez les tomates séchées en petits morceaux et ajoutez les dés de courgette et de tomates séchées à la pâte. Mélangez.

5 Huilez et farinez un moule à cake, versez la préparation dedans et enfournez pour 45 min de cuisson.

ASTUCE
Remplacez les tomates confites par des poivrons grillés.

SAMOUSSA ÉPINARD ET CRESSON

POUR 4 PERSONNES

25 MIN DE PRÉPARATION
4 MIN DE CUISSON

UN PEU DIFFICILE
COÛT €

MATÉRIEL

Mixeur

8 feuilles de brick • 8 poignées de pousses d'épinards frais • 4 poignées de feuilles de cresson • 100 g de tofu aux herbes • 1 cuil. à soupe de purée de noix de cajou • ½ avocat • Huile d'olive • 1 pincée de sel

1 Lavez les pousses d'épinards et les feuilles de cresson, égouttez-les bien avant de les déposer dans le bol du mixeur.

2 Coupez le tofu aux herbes en morceaux et ajoutez-les dans le mixeur. Mettez également la purée de noix de cajou, l'avocat épluché et le sel. Mixez la préparation. La farce des samoussas est prête.

3 Pliez 1 feuille de brick en deux, côté rond vers vous, et déposez un peu de farce tout à droite. Rabattez le bas de la feuille par-dessus. Rabattez la partie droite de la feuille pour former un début de triangle. Rabattez encore une fois vers la gauche pour former un triangle. Rabattez une dernière fois vers la gauche, vous obtenez un triangle. Glissez le morceau de feuille qui dépasse dans le samoussa et il est prêt à être cuit.

4 Faites de même avec les autres feuilles de brick.

5 Dans une poêle, faites chauffer 1 filet d'huile d'olive à feu moyen et faites cuire les samoussas 2 min de chaque côté. Servez aussitôt.

ASTUCE
À tenter aussi avec des feuilles de blettes.

MOUSSE DE BETTERAVE

POUR 4 PERSONNES

5 MIN DE PRÉPARATION

FACILE
COÛT €

MATÉRIEL

Blender

2 betteraves cuites • 10 cl de jus de grenade • 1 cuil. à soupe de vinaigre de cidre • 1 cuil. à soupe d'huile d'olive • 1 pincée de sel

1 Épluchez les betteraves, coupez-les en dés et mettez-les dans le blender.

2 Ajoutez le jus de grenade, le vinaigre de cidre, l'huile d'olive et le sel.

3 Vous pouvez ajouter des glaçons si vous le souhaitez.

4 Mixez à pleine puissance pendant 1 min et servez aussitôt.

ASTUCE
Vous pouvez aussi réchauffer la mousse pour la déguster tiède.

SANS
GLUTEN

MILLEFEUILLE DE TOPINAMBOUR

POUR 4 PERSONNES

FACILE
COÛT €

15 MIN DE PRÉPARATION
20 MIN DE CUISSON

4 gros topinambours • 150 g de quinoa • 1 cuil. à café de curry en poudre + un peu pour décorer • 2 cuil. à soupe d'huile d'olive • Sel

1 Rincez le quinoa, déposez-le dans une casserole et recouvrez-le de 2 fois son volume d'eau. Portez à ébullition puis baissez le feu et laissez cuire 15 min. Égouttez et réservez.

2 Pendant la cuisson du quinoa, épluchez les topinambours et, à l'aide d'une mandoline, coupez-les en fines lamelles d'environ 5 mm d'épaisseur. Déposez-les dans un cuit-vapeur et faites-les cuire 5 min.

3 Pendant ce temps, dans une sauteuse, faites chauffer l'huile d'olive, ajoutez le curry dans l'huile chaude pour qu'il exprime tous ses arômes.

4 Ajoutez le quinoa et faites-le revenir pendant quelques minutes, le temps d'obtenir une belle couleur jaune orangé.

5 Pour la présentation, aidez-vous d'un cercle à pâtisserie de taille moyenne. Déposez 1 couche de quinoa, 1 couche de lamelles de topinambours, 1 couche de quinoa, et ainsi de suite pour finir par 1 couche de topinambours. Saupoudrez de curry et servez.

ASTUCE
Vous pouvez remplacer le topinambour par de la pomme de terre.

SANS
GLUTEN

PÂTÉ VÉGÉTAL AUX OLIVES

POUR 4 PERSONNES

15 MIN DE PRÉPARATION
40 MIN DE CUISSON

FACILE
COÛT €

MATÉRIEL

Mixeur

75 g d'olives noires dénoyautées • 150 g de champignons de Paris • 2 oignons • 100 g de margarine végétale non hydrogénée • 180 g de haricots azukis cuits • 30 g de purée d'amandes blanches • 2 gousses d'ail • 1 cuil. à café de sel

1 Passez les champignons rapidement sous l'eau, coupez le morceau terreux du pied puis coupez-les en lamelles. Réservez.

2 Épluchez les oignons, hachez-les grossièrement. Réservez.

3 Dans une poêle, faites fondre la margarine. Ajoutez les champignons et les oignons, laissez cuire à feu doux.

4 Préchauffez le four à 180 °C (th. 6).

5 Une fois les oignons et les champignons cuits, déposez-les dans le bol du mixeur. Ajoutez les haricots azukis, la purée d'amandes blanches, les gousses d'ail épluchées et dégermées. Salez et mixez le tout.

6 Hachez grossièrement les olives et mélangez-les à la préparation.

7 Tapissez un moule à cake de taille moyenne d'une feuille de papier sulfurisé. Versez la préparation et enfournez pour 40 min de cuisson.

8 Démoulez et laissez refroidir avant dégustation.

ASTUCE
Ce pâté se conserve 1 semaine au réfrigérateur.

SANS
GLUTEN

SALADE DE QUINOA
AUX ASPERGES

POUR 4 PERSONNES

FACILE
COÛT €

15 MIN DE PRÉPARATION
15 MIN DE CUISSON

150 g de quinoa rouge • 1 botte d'asperges vertes • 1 avocat • 12 radis roses • 2 poignées de pois chiches cuits • 1 cuil. à soupe de vinaigre de cidre • 1 cuil. à soupe de moutarde à l'ancienne • 2 gousses d'ail • 5 brins de persil • 3 cuil. à soupe d'huile de noix • 1 pincée de sel

1 Rincez le quinoa et faites-le cuire à feu doux dans 2 fois son volume d'eau. Réservez.

2 Lavez les asperges et faites-les cuire 15 min à la vapeur.

3 Épluchez l'avocat, ôtez le noyau et coupez la chair en dés.

4 Lavez les radis, supprimez les feuilles et coupez-les en rondelles.

5 Préparez la vinaigrette. Dans un saladier, mélangez le sel et le vinaigre de cidre. Ajoutez la moutarde à l'ancienne ainsi que l'huile de noix. Mélangez.

6 Ajoutez les gousses d'ail pressées et les feuilles de persil hachées.

7 Versez dans le saladier le quinoa rouge, l'avocat, les pois chiches, les radis roses et mélangez.

8 Coupez les pointes d'asperges et disposez-les sur la salade avant de servir.

SANS
GLUTEN

NEMS VÉGÉTAUX

POUR 4 PERSONNES

30 MIN DE PRÉPARATION
5 MIN DE CUISSON

UN PEU DIFFICILE
COÛT €

MATÉRIEL

Wok ou grande poêle

20 galettes de riz moyennes • 50 g de champignons noirs déshydratés • 50 g de vermicelle de riz • 100 g de champignons de Paris • ½ courgette • 1 échalote • 1 oignon • 1 carotte • ½ bouquet de coriandre • 2 gousses d'ail • 100 g de pousses de soja • 6 cuil. à soupe de nuoc-mâm chay • 3 cuil. à soupe de jus de citron • ½ cuil. à café de purée de piment • Feuilles de laitue • Menthe fraîche • Huile de sésame • Huile pour friture • Sel et poivre

1 Faites tremper les champignons noirs et le vermicelle de riz dans deux bols différents.

2 Pendant ce temps, passez sous l'eau les champignons de Paris, coupez le morceau terreux du pied puis hachez-les grossièrement au couteau. Épluchez la courgette, coupez-la en dés. Épluchez l'échalote et l'oignon et hachez-les.

3 Dans un wok, faites chauffer 1 filet d'huile de sésame et déposez les champignons de Paris, la courgette, l'échalote et l'oignon. Faites bien suer et égouttez en pressant.

4 Mélangez à cette préparation les champignons noirs égouttés et coupés en morceaux, le vermicelle égoutté et coupé en petits morceaux, la carotte épluchée et râpée, les feuilles de coriandre hachées et les gousses d'ail épluchées, dégermées et pressées.

5 Hachez les pousses de soja, ajoutez-les à la préparation. Salez et poivrez avant de bien mélanger à la main.

6 Mouillez les galettes de riz et déposez-les sur un torchon humidifié. Déposez l'équivalent de 1 cuil. à soupe de farce en bas de la feuille et roulez en rabattant les côtés pour former un cylindre bien fermé.

7 Dans le wok, faites chauffer l'huile de friture. Plongez-y les nems, des petites bulles doivent se former autour. Évitez qu'ils ne se touchent en début de cuisson car ils sont encore collants. Ils sont prêts quand ils sont dorés.

8 Préparez la sauce d'accompagnement avec le nuoc-mâm, le jus de citron et la purée de piment et servez avec des feuilles de laitue et de la menthe fraîche.

SANS GLUTEN
RICE PAPER
BANH TRANG
THUONG HANG

PLATS

CROQUE-MONSIEUR VERT

POUR 4 PERSONNES

10 MIN DE PRÉPARATION
3 MIN DE CUISSON

FACILE
COÛT €

MATÉRIEL

Mixeur

8 tranches de pain de mie • 1 bouquet de basilic • 2 gousses d'ail • 1 poignée d'amandes entières • 1 avocat • 8 feuilles de laitue • 2 poignées de roquette • 2 tomates green zebra (ou, à défaut, une autre variété) • 3 cuil. à soupe d'huile d'olive • 1 pincée de sel

1 Rincez le basilic et effeuillez-le. Déposez les feuilles dans le bol du mixeur. Épluchez les gousses d'ail, dégermez-les et ajoutez-les dans le mixeur avec les amandes entières, l'huile d'olive et le sel. Mixez pour obtenir une pâte onctueuse.

2 Répartissez cette préparation sur les tranches de pain de mie.

3 Épluchez l'avocat, ôtez le noyau et coupez sa chair en lamelles. Répartissez-les sur 4 tranches de pain de mie. Ajoutez par-dessus 2 feuilles de laitue dont vous aurez pris soin de retirer la nervure centrale.

4 Répartissez la roquette par-dessus et enfin les tomates lavées et coupées en rondelles. Fermez les croque-monsieur avec les tranches de pain de mie restantes.

5 Faites chauffer l'appareil à croque-monsieur. Faites cuire 3 min par croque-monsieur et servez aussitôt.

ASTUCE
Pas de basilic sous la main ? Optez pour du persil plat, de la coriandre ou encore des pousses d'épinards.

VÉGÉ BURGER

POUR 4 PERSONNES

20 MIN DE PRÉPARATION
8 MIN DE CUISSON

FACILE
COÛT €

MATÉRIEL

Mixeur

4 pains à burger vegan • 1 oignon • 200 g de haricots azukis cuits • 1 cuil. à soupe de fécule de pomme de terre • 1 cuil. à soupe de purée d'amandes • 1 gousse d'ail • 1 cuil. à café de paprika doux • 4 cuil. à café de moutarde • 2 tomates • 8 feuilles de laitue • 4 brins de persil plat • 4 cuil. à soupe d'huile d'olive

1 Épluchez l'oignon et hachez-le grossièrement. Faites-le revenir dans une poêle avec 2 cuil. à soupe d'huile d'olive.

2 Pendant ce temps, déposez les haricots azukis dans le bol du mixeur. Ajoutez la fécule de pomme de terre, la purée d'amandes, la gousse d'ail épluchée et dégermée et le paprika doux. Ajoutez l'oignon lorsqu'il est cuit et mixez pour obtenir une pâte homogène.

3 Faites chauffer le reste d'huile d'olive dans une poêle. Formez 4 tas arrondis avec la pâte, déposez-les dans la poêle et laissez cuire 4 min de chaque côté.

4 Pendant ce temps, coupez les pains à burger en deux dans le sens de la largeur et passez-les au grille-pain.

5 Tartinez la face interne d'un pain avec 1 cuil. à café de moutarde, ajoutez 1 feuille de laitue puis le steak d'azukis, ½ tomate tranchée, 1 autre feuille de laitue et quelques feuilles de persil hachées. Fermez le burger et faites de même avec les 3 autres.

ASTUCE
Préparez les steaks végétaux et congelez-les. Vous en aurez toujours d'avance.

WRAP FRAIS

POUR 4 PERSONNES

UN PEU DIFFICILE
COÛT €

30 MIN DE PRÉPARATION
20 MIN DE REPOS
1 MIN DE CUISSON

150 g de farine de blé T 80 • 50 g de farine de maïs • 1 avocat • Le jus de 1 citron vert • 1 tomate • 8 lamelles de tomates séchées • 8 feuilles de batavia • 2 carottes • 2 poignées de graines germées de radis • 5 cl d'huile d'olive • 2 pincées de sel

1 Mélangez les deux farines et ajoutez 1 bonne pincée de sel. Versez l'huile d'olive et 8 cl d'eau et pétrissez la pâte.

2 Façonnez 4 boules de taille identique et laissez-les reposer 20 min avant de les étaler sur un plan de travail fariné.

3 Dans une poêle antiadhésive, faites cuire les tortillas 30 s de chaque côté. Laissez-les refroidir dans une assiette sous un torchon.

4 Épluchez l'avocat, ôtez le noyau et écrasez la chair à la fourchette avec le jus de citron vert.

5 Ébouillantez la tomate et pelez-la. Ôtez les pépins et coupez la chair en dés. Ajoutez-la à l'avocat ainsi que les tomates séchées coupées en petits morceaux. Salez et mélangez.

6 Déposez les feuilles de batavia sur les tortillas. Répartissez par-dessus la préparation à l'avocat.

7 Épluchez les carottes, râpez-les et répartissez-les sur les tortillas. Ajoutez les graines germées de radis, roulez les tortillas et servez aussitôt.

ASTUCE
Variez les plaisirs en essayant avec des poivrons cuits, du caviar d'aubergine ou encore avec une base d'hoummos. Tout est permis !

MINESTRONE PAYSAN

POUR 4 PERSONNES

FACILE
COÛT €

15 MIN DE PRÉPARATION
1 H DE CUISSON

1 oignon • 300 g de cocos de Paimpol écossés • 3 brins de thym • 2 feuilles de laurier-sauce • 2 cubes de bouillon de légumes • 3 cuil. à soupe de concentré de tomates • 2 carottes • 2 branches de céleri • 1 courgette • 1 gousse d'ail • 100 g de riz rond semi-complet • 3 cuil. à soupe d'huile d'olive • Sel

1 Épluchez l'oignon et hachez-le. Faites-le suer dans une cocotte avec l'huile d'olive. Ajoutez les cocos de Paimpol et mélangez.

2 Ajoutez le thym, les feuilles de laurier et les cubes de bouillon de légumes. Recouvrez les cocos de Paimpol de 3 fois leur volume d'eau. Ajoutez le concentré de tomates, mélangez et laissez cuire à feu moyen 40 min.

3 Pendant ce temps, épluchez les carottes et coupez-les en petits dés. Lavez les branches de céleri et coupez-les en fines lamelles. Lavez la courgette et coupez-la en petits dés également. Réservez.

4 Épluchez la gousse d'ail et pressez-la dans la cocotte, ajoutez le riz et les légumes, puis rectifiez l'assaisonnement en sel. Recouvrez d'eau le riz et les légumes. Laissez encore cuire 20 min avant de servir.

ASTUCE
À la place du riz, vous pouvez utiliser des petites pâtes ou du vermicelle.

WOK DE COURGETTE
AU TOFU

POUR 4 PERSONNES

15 MIN DE PRÉPARATION
20 MIN DE CUISSON

FACILE
COÛT €

MATÉRIEL

Wok

8 petites courgettes • 200 g de tofu fumé • 2 oignons • 6 cuil. à soupe de concentré de tomates • 2 gousses d'ail • 2 cuil. à soupe de tamari • 1 cuil. à café de gingembre en poudre • 4 cuil. à soupe d'huile d'olive • Sel

1 Épluchez les oignons et hachez-les grossièrement. Lavez les courgettes et coupez-les en dés.

2 Dans un wok, faites chauffer l'huile d'olive. Faites revenir les oignons jusqu'à ce qu'ils soient transparents. Ajoutez alors les dés de courgettes.

3 Incorporez le concentré de tomates et mélangez. Épluchez les gousses d'ail, pressez-les et ajoutez-les.

4 Coupez le tofu en petits morceaux et ajoutez-les dans le wok.

5 Enfin, incorporez le tamari et le gingembre en poudre. Rectifiez l'assaisonnement si besoin (le tamari contient déjà du sel). Servez aussitôt.

ASTUCE
Vous pouvez aussi préparer cette recette avec des aubergines à la place des courgettes.

WOK DE COURGE BUTTERNUT

POUR 4 PERSONNES

15 MIN DE PRÉPARATION
20 MIN DE CUISSON

FACILE
COÛT €

MATÉRIEL

Wok

1 courge butternut • 1 oignon • 1 gousse d'ail • 3 brins de thym • 1 petite racine de curcuma • 20 cl de crème de riz • Huile d'olive • Sel • 1 pincée de poivre noir

1 Épluchez la courge butternut et coupez-la en dés. Réservez.

2 Épluchez l'oignon, coupez-le en fines lamelles. Épluchez la gousse d'ail. Réservez.

3 Dans un wok, faites chauffer 1 filet d'huile d'olive. Ajoutez l'oignon et le thym, jusqu'à ce que l'oignon soit translucide.

4 Ajoutez les dés de courge butternut et mélangez.

5 Râpez la racine de curcuma par-dessus, pressez l'ail, saupoudrez de poivre noir et salez.

6 Laissez cuire 10 min. Versez la crème de riz et poursuivez la cuisson 10 min à feu moyen avant de servir.

ASTUCE

Utilisez toujours le curcuma avec un corps gras, de l'huile par exemple, et un peu de poivre noir, vous décuplerez l'assimilation de la curcumine qu'il contient.

SANS
GLUTEN

QUICHE PRESQUE LORRAINE

POUR 6 PERSONNES

FACILE
COÛT €

30 MIN DE PRÉPARATION
45 MIN DE CUISSON

POUR LA PÂTE : 300 g de farine T 65 • 150 g de purée d'amandes blanches • 8 cl de lait d'amande • 2 cuil. à soupe d'huile d'olive • ½ cuil. à café de sel
POUR L'APPAREIL : 1 oignon • 150 g de tofu fumé • 300 g de tofu soyeux • 50 g de fécule de pomme de terre • 20 cl de lait de soja • 2 pincées de noix muscade • 1 cuil. à soupe de miso • 2 cuil. à soupe d'huile d'olive • ½ cuil. à café de sel • 1 pincée de poivre noir

1 Mélangez la farine et la purée d'amandes, ajoutez l'huile d'olive, le sel et le lait d'amande. Pétrissez la pâte et formez une boule.

2 Étalez la pâte sur un plan de travail fariné et disposez-la dans un moule à tarte.

3 Préchauffez le four à 180 °C (th. 6).

4 Épluchez l'oignon, hachez-le. Coupez le tofu fumé en petits morceaux de la taille de lardons. Faites-les revenir à la poêle dans l'huile d'olive avec l'oignon haché. Réservez.

5 Versez le tofu soyeux dans un saladier. Délayez petit à petit la fécule de pomme de terre dans le lait de soja, versez sur le tofu soyeux et mélangez.

6 Ajoutez la noix muscade, le sel, le poivre noir et le miso. Mélangez bien.

7 Déposez le tofu fumé et l'oignon sur la pâte, puis versez le mélange précédent.

8 Enfournez pour 45 min de cuisson et dégustez chaud.

QUICHE AUX POIREAUX

POUR 6 PERSONNES

FACILE
COÛT €

20 MIN DE PRÉPARATION
55 MIN DE CUISSON

POUR LA PÂTE : 300 g de farine T 80 • 150 g de margarine végétale non hydrogénée • 8 cl de lait de soja • ½ cuil. à café de sel **POUR L'APPAREIL :** 3 poireaux • 30 g de fécule de pomme de terre • 15 cl de lait de soja • 400 g de tofu soyeux • 2 pincées de noix muscade • 1 cuil. à soupe de levure maltée • 4 cuil. à soupe d'huile d'olive • ½ cuil. à café de sel • 1 pincée de poivre noir

1 Mélangez la farine et le sel avec la margarine à température ambiante. Ajoutez le lait de soja et pétrissez jusqu'à obtenir une boule de pâte homogène.

2 Étalez la pâte sur un plan de travail fariné, et disposez-la dans un moule à tarte.

3 Préchauffez le four à 180 °C (th. 6).

4 Lavez les poireaux et coupez-les en rondelles. Dans une poêle, faites chauffer l'huile d'olive et ajoutez les poireaux, faites-les cuire à feu doux jusqu'à ce qu'ils soient fondants. Puis déposez-les sur la pâte.

5 Délayez petit à petit la fécule de pomme de terre dans le lait de soja. Ajoutez le tofu soyeux et battez le mélange. Ajoutez la noix muscade, le sel, le poivre et la levure maltée.

6 Mélangez et versez sur les poireaux. Enfournez pour 45 min de cuisson et dégustez chaud.

TARTE À LA TOMATE

POUR 6 PERSONNES

FACILE
COÛT €

20 MIN DE PRÉPARATION
40 MIN DE CUISSON

POUR LA PÂTE : 220 g de farine T 65 • 80 g de farine de lupin • 150 g de tahin • 8 cl de lait de riz • 2 cuil. à soupe d'huile d'olive • ½ cuil. à café de sel
POUR LA GARNITURE : 5 tomates • 2 cuil. à soupe de moutarde • 20 g de fécule de pomme de terre • 5 cl de lait de soja • 5 cl de crème de soja • 1 oignon rouge • 1 cuil. à café d'herbes de Provence • Sel

1 Mélangez les deux farines, incorporez le sel, puis le tahin et l'huile d'olive. Pétrissez en ajoutant le lait de riz jusqu'à obtenir une boule de pâte homogène.

2 Étalez la pâte sur un plan de travail fariné et disposez-la dans un moule à tarte. Ôtez le surplus avec un rouleau à pâtisserie.

3 Préchauffez le four à 180 °C (th. 6).

4 Étalez la moutarde sur la pâte à tarte. Coupez les tomates en rondelles et disposez-les par-dessus.

5 Délayez la fécule dans le lait de soja, incorporez la crème de soja et salez puis versez sur les tomates.

6 Épluchez l'oignon rouge et hachez-le, puis répartissez-le sur les tomates. Saupoudrez d'herbes de Provence et enfournez pour 40 min de cuisson. Dégustez chaud.

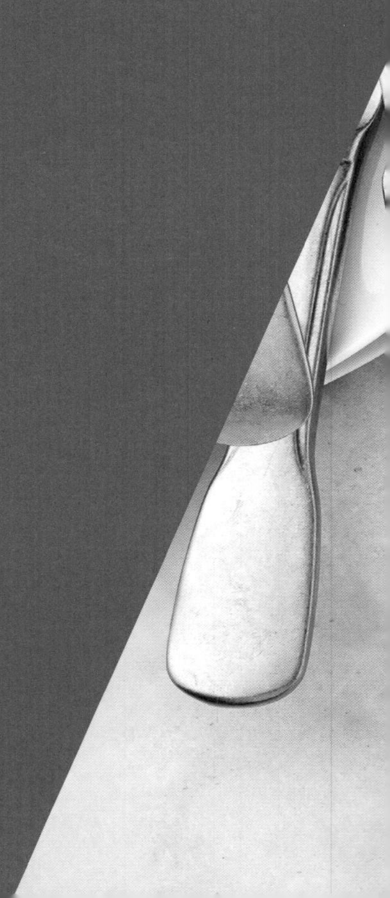

STEAK DE LENTILLES
ET TOMATES À LA PROVENÇALE

POUR 4 PERSONNES
FACILE
COÛT €

20 MIN DE PRÉPARATION
38 MIN DE CUISSON

POUR LES STEAKS DE LENTILLES : 200 g de lentilles vertes cuites • 1 oignon • 1 cuil. à soupe de fécule de maïs • 1 cuil. à soupe de purée de noix de cajou • 1 gousse d'ail • 1 cuil. à café de curcuma en poudre • 4 cuil. à soupe d'huile de sésame grillé • Sel et poivre noir **POUR LES TOMATES À LA PROVENÇALE :** 4 tomates • 8 brins de persil plat • 1 cuil. à café d'origan • 2 gousses d'ail • 2 cuil. à soupe de chapelure • 2 cuil. à soupe d'huile d'olive • Sel

1 Préparez les steaks. Épluchez l'oignon et hachez-le. Dans une poêle, faites chauffer la moitié de l'huile de sésame grillé et faites-y suer l'oignon haché.

2 Déposez l'oignon cuit dans le bol d'un mixeur et ajoutez les lentilles vertes, la fécule de maïs, la purée de noix de cajou, la gousse l'ail épluchée et dégermée, et le curcuma. Salez, poivrez et mixez le tout.

3 Façonnez 4 steaks de même taille et faites-les cuire à la poêle dans le reste d'huile de sésame, 4 min de chaque côté.

4 Préchauffez le four à 200 °C (th. 6-7).

5 Pendant ce temps, coupez les tomates dans le sens de la largeur et déposez-les, face tranchée dessus, dans un plat allant au four.

6 Hachez les feuilles de persil et répartissez-les sur les tomates, saupoudrez d'origan et d'un peu de sel. Enfin, ajoutez les gousses d'ail épluchées et hachées, puis la chapelure.

7 Arrosez d'huile d'olive et enfournez pour 30 min de cuisson.

8 Réchauffez les steaks de lentilles au moment de servir.

SANS
GLUTEN

SPAGHETTIS
QUASI CARBONARA

POUR 4 PERSONNES

FACILE
COÛT €

20 MIN DE PRÉPARATION
10 MIN DE CUISSON

350 g de spaghettis • 1 oignon • 125 g de tofu fumé • 25 cl de crème de soja • 1 cuil. à soupe de levure maltée • 1 cuil. à soupe de poudre d'amandes • 3 cuil. à soupe d'huile d'olive • 1 cuil. à soupe de gros sel • Sel aux herbes • Poivre

1 Faites chauffer un grand volume d'eau additionnée de gros sel pour faire cuire les spaghettis comme indiqué sur le paquet.

2 Pendant ce temps, épluchez l'oignon, hachez-le et faites-le cuire dans une poêle avec l'huile d'olive. Mélangez bien, il doit devenir translucide.

3 Coupez le tofu fumé en petits rectangles et ajoutez-les. Salez, poivrez et versez la crème de soja. Laissez cuire 5 min puis versez sur les spaghettis égouttés. Mélangez.

4 Mélangez la levure et la poudre d'amandes, répartissez dans les assiettes et servez aussitôt.

ASTUCE

Vous pouvez aussi utiliser cette sauce avec des spaghettis classiques.

COURGE SPAGHETTI
À LA BOLOGNAISE

POUR 4 PERSONNES

FACILE
COÛT €

20 MIN DE PRÉPARATION
1 H 15 DE CUISSON

1 courge spaghetti • 1 oignon • 2 gousses d'ail • 100 g de protéines de soja texturées hachées • 15 cl de vin blanc sec • 30 cl de coulis de tomates • ½ bouquet de basilic • ½ bouquet de persil plat • 5 cuil. à soupe d'huile d'olive • Sel et poivre

1 Dans une cocotte, faites cuire la courge spaghetti entière dans un grand volume d'eau frémissante pendant 50 min. Laissez-la refroidir avant de la couper en deux dans le sens de la longueur.

2 Ôtez les graines et, à l'aide d'une fourchette, prélevez les spaghettis de courge en grattant la chair. Réservez.

3 Épluchez l'oignon et hachez-le. Dans une poêle, faites chauffer l'huile d'olive et ajoutez l'oignon haché. Épluchez les gousses d'ail et pressez-les dans la poêle. Incorporez les protéines de soja et mouillez-les avec le vin blanc.

4 Une fois le vin blanc absorbé, ajoutez le coulis de tomates, salez, poivrez et laissez réduire.

5 Pendant ce temps, rincez le basilic et le persil, effeuillez-les et hachez les feuilles puis incorporez-les à la sauce bolognaise.

6 Versez la sauce sur les spaghettis de courge, mélangez et servez.

SANS
GLUTEN

PIZZA AUX LÉGUMES
DU SOLEIL

POUR 4 PERSONNES

FACILE
COÛT €

30 MIN DE PRÉPARATION
1 H DE REPOS
15 MIN DE CUISSON

POUR LA PÂTE : 1 sachet de levure de boulanger sèche • 350 g de farine de blé bise T 80 • 150 g de farine de pois chiches • 3 cuil. à soupe d'huile d'olive • 10 g de sel **POUR LA GARNITURE :** 2 oignons • 2 aubergines • 2 gousses d'ail • 2 cuil. à café d'origan • 100 g de concentré de tomates • 2 poivrons rouges grillés en conserve • 50 g de tomates séchées • 12 olives noires dénoyautées • 5 cl d'huile d'olive • Sel

1 Préparez la pâte. Faites tiédir 25 cl d'eau et versez-y la levure de boulanger.

2 Mélangez la farine de blé et la farine de pois chiches. Ajoutez le sel et l'huile d'olive, puis petit à petit, tout en pétrissant, l'eau et la levure. La pâte doit avoir une texture de pâte à pain : si elle est trop sèche, ajoutez un peu d'eau ; si elle est trop collante, ajoutez un peu de farine. Pétrissez la pâte pendant 10 min et laissez-la reposer 1 h au chaud recouverte d'un torchon.

3 Préchauffez le four à 200 °C (th. 6-7).

4 Épluchez les oignons et hachez-les grossièrement. Lavez les aubergines et coupez-les en dés. Épluchez les gousses d'ail et coupez-les en quatre.

5 Dans une poêle, faites chauffez l'huile d'olive et versez-y les oignons, les aubergines et les gousses d'ail. Faites cuire à feu moyen, ajoutez l'origan et salez. Quand vous obtenez une compotée de légumes, ôtez du feu.

6 Étalez la pâte à pizza en rectangle sur une feuille de papier sulfurisé et déposez le tout sur une plaque à pâtisserie.

7 Étalez le concentré de tomates sur la pâte, puis la compotée d'aubergines. Ajoutez les poivrons grillés coupés en quatre, répartissez dessus les tomates séchées et les olives noires.

8 Enfournez dans le bas du four pour 15 min de cuisson et dégustez chaud.

À SAVOIR

Cette pizza est un plat complet car la pâte est un mélange de céréales et de légumineuses.

HACHIS PARMENTIER
AU SOJA

POUR 6 PERSONNES

FACILE
COÛT €

30 MIN DE PRÉPARATION
50 MIN DE CUISSON

800 g de pommes de terre à purée • 25 cl de crème de soja • 100 g de protéines de soja texturées hachées • 10 cl de vin blanc sec • 2 oignons jaunes • 2 gousses d'ail • 3 cuil. à soupe de concentré de tomates • 1 carotte • 50 g de poudre d'amandes • 4 cuil. à soupe d'huile d'olive • Sel et poivre

1 Déposez les pommes de terre dans un grand volume d'eau. Portez à ébullition et laissez cuire 20 min. Égouttez et ôtez la peau.

2 Écrasez les pommes de terre avec la crème de soja et salez. Réservez.

3 Préchauffez le four à 180 °C (th. 6).

4 Dans une poêle, faites chauffer l'huile d'olive. Ajoutez les protéines de soja et mouillez-les avec le vin blanc sec et 25 cl d'eau. Laissez cuire à feu doux.

5 Épluchez les oignons, hachez-les finement et ajoutez-les. Pelez les gousses d'ail et pressez-les dans la poêle.

6 Ajoutez le concentré de tomates et mélangez bien. Épluchez la carotte, râpez-la et ajoutez-la. Salez et poivrez.

7 Une fois que l'eau est évaporée, versez la préparation dans un plat à gratin. Ajoutez les pommes de terre écrasées et saupoudrez de poudre d'amandes.

8 Enfournez pour 20 min de cuisson et dégustez chaud.

SANS
GLUTEN

NUGGETS DE POIS CHICHES
ET PURÉE DE PATATES DOUCES

POUR 4 PERSONNES

20 MIN DE PRÉPARATION
15 MIN DE REPOS
20 MIN DE CUISSON

FACILE
COÛT €

MATÉRIEL

Mixeur

POUR LES NUGGETS : 60 g de farine de pois chiches • 2 cubes de bouillon aux légumes • 12 médaillons de protéines de soja texturées • 8 cl de sauce tamari • 2 cl de crème d'amande • 2 échalotes • 2 gousses d'ail • 100 g de chapelure • 3 cl d'huile de sésame • 6 cl d'huile d'olive
POUR LA PURÉE DE PATATES DOUCES : 700 g de patates douces • 5 cl de crème de soja • 1 bonne pincée de noix muscade râpée • 5 cl d'huile de noix • 1 bonne pincée de sel

1 Faites bouillir 1 l d'eau et faites fondre les cubes de bouillon. Versez dans un plat à gratin et déposez les médaillons de protéines de soja pour bien les hydrater. Laissez reposer 15 min.

2 Pendant ce temps, versez l'huile d'olive dans le bol du mixeur. Ajoutez la sauce tamari, la farine de pois chiches et la crème d'amande. Épluchez les échalotes et les gousses d'ail. Coupez-les en morceaux et ajoutez-les dans le mixeur. Mixez à pleine puissance pour obtenir une pâte.

3 Versez cette pâte dans une assiette creuse, et la chapelure dans une autre assiette.

4 Égouttez les médaillons de protéines de soja, trempez-les dans la pâte, puis roulez-les dans la chapelure. Réservez.

5 Épluchez les patates douces, coupez-les en dés et faites-les cuire 15 min à la vapeur.

6 Écrasez les patates douces avec l'huile de noix, la crème de soja, le sel et la noix muscade. Réservez au chaud.

7 Dans une poêle, faites chauffer l'huile de sésame et déposez-y les nuggets, faites cuire 3 min de chaque côté à feu moyen. Servez aussitôt avec la purée de patates douces.

ASTUCE
Vous pouvez agrémenter les nuggets d'une sauce aux herbes ou d'un ketchup maison.

FALAFELS AU PERSIL
ET LEUR CRÈME DE CONCOMBRE

POUR 4 PERSONNES

15 MIN DE PRÉPARATION
1 NUIT DE TREMPAGE
30 MIN DE REPOS
15 MIN POUR DÉGORGER
10 MIN DE CUISSON

FACILE
COÛT €

MATÉRIEL

Mixeur

POUR LES FALAFELS : 300 g de pois chiches • 1 oignon rouge • 1 gousse d'ail • 1 bouquet de persil plat • 1 cuil. à café de bicarbonate de soude • 1 cuil. à café de cumin • 1 cuil. à café de sel • Poivre • Huile pour friture **POUR LA CRÈME DE CONCOMBRE :** 1 concombre • 20 cl de crème d'avoine • 5 feuilles de menthe fraîche • Sel

1 Faites tremper les pois chiches au moins 1 nuit. Le lendemain, mettez-les dans le bol d'un mixeur. Mixez une première fois pour les concasser.

2 Épluchez l'oignon, ajoutez-le aux pois chiches ainsi que la gousse d'ail épluchée. Mixez de nouveau.

3 Rincez et effeuillez le persil et ajoutez les feuilles dans le mixeur. Ajoutez le bicarbonate, le cumin, le sel, le poivre et 2 cuil. à soupe d'eau. Mixez pour obtenir une pâte homogène. Laissez reposer 30 min.

4 Pendant ce temps, épluchez le concombre, salez et laissez-le dégorger 15 min dans une passoire. Pressez-le et mixez-le dans un blender avec la crème d'avoine et les feuilles de menthe fraîche. Réservez.

5 Façonnez des petites galettes, pressez pour retirer l'éventuel excédent d'eau. Dans une sauteuse, faites chauffer l'huile de friture à 180 °C et mettez les galettes à cuire pendant 4 min.

6 Servez chaud avec la crème de concombre.

FÈVES CORIANDRE ET TOMATE

POUR 4 PERSONNES
FACILE
COÛT €

10 MIN DE PRÉPARATION
30 MIN DE CUISSON

200 g de fèves écossées • 1 gousse d'ail • 1 tomate • 2 cuil. à soupe de coriandre hachée • 1 cuil. à café de curry en poudre • 3 cuil. à soupe d'huile d'olive • 1 pincée de sel

1 Dans une casserole, faites chauffer l'huile d'olive. Ajoutez les fèves et pressez la gousse d'ail épluchée par-dessus. Mélangez.

2 Lavez la tomate, coupez-la en dés et ajoutez-la ainsi que le curry, le sel et la coriandre. Mélangez.

3 Couvrez d'eau et laissez mijoter 30 min avant de servir, accompagné de riz basmati.

ASTUCE
Vous pouvez préparer la même recette avec des haricots rouges ou blancs à la place des fèves.

SANS GLUTEN

LASAGNES VÉGÉTALES

POUR 4 PERSONNES

UN PEU DIFFICILE
COÛT €

40 MIN DE PRÉPARATION
20 MIN DE CUISSON

POUR LA BÉCHAMEL : 50 g de farine de riz • 75 cl de lait de soja • Noix muscade • 6 cl d'huile d'olive • Sel et poivre
POUR LA GARNITURE : 1 courge butternut • 2 carottes • 50 g de tomates séchées • 1 oignon • 1 cuil. à café de curcuma en poudre • 20 g de pignons de pin • Gomasio • Huile d'olive • Sel

1 Préparez la béchamel. Dans une casserole, faites chauffer l'huile. Ajoutez la farine de riz et mélangez bien.

2 Délayez petit à petit avec le lait de soja en continuant de bien mélanger.

3 Faites cuire à feu moyen en mélangeant jusqu'à ce que la sauce épaississe. Ajoutez sel, poivre et noix muscade à votre convenance. Réservez.

4 Épluchez la courge butternut. À l'aide d'une mandoline, coupez des tranches de 0,5 cm d'épaisseur dans le sens de la largeur. Retirez les pépins et le pédoncule.

5 Faites cuire les tranches de courge butternut à la vapeur pendant 5 min. Réservez.

6 Épluchez les carottes et coupez-les en brunoise. Faites de même avec les tomates séchées. Épluchez l'oignon et hachez-le.

7 Dans une poêle, faites chauffer un peu d'huile d'olive, ajoutez les dés de carottes, les tomates séchées et l'oignon. Faites cuire 5 min. Ajoutez le curcuma et salez. Réservez.

8 Préchauffez le four à 180 °C (th. 6).

9 Dans un plat à gratin, déposez 1 couche de courge, 1 couche de béchamel, un peu du mélange carottes-tomates-oignon et ainsi de suite. Finissez par 1 petite couche de béchamel végétale.

10 Concassez les pignons de pin et parsemez-les dessus. Saupoudrez de gomasio. Enfournez pour 15 min de cuisson et dégustez chaud.

SANS
GLUTEN

GALETTE AUX LÉGUMES
ET RÂPÉ DE CHOU BLANC

POUR 4 PERSONNES

FACILE
COÛT €

25 MIN DE PRÉPARATION
8 MIN DE CUISSON

POUR LES GALETTES : 50 g de flocons de sarrasin • 2 cuil. à soupe de graines de lin • 8 cl de lait de soja • 2 cuil. à soupe de tofu soyeux • 2 cuil. à soupe de farine de lupin • 1 oignon rouge • 1 carotte • 1 petite courgette • 1 cuil. à café de graines de cumin • Huile d'olive • Sel et poivre
POUR LA RÂPÉE DE CHOU : 1 petit chou blanc • 3 cuil. à soupe de vinaigre de cidre • 2 cuil. à soupe de sucre de canne blond • 1 noisette de wasabi • 1 cuil. à soupe de graines de sésame • 2 cuil. à soupe d'huile de sésame • 1 cuil. à café de sel

1 Dans un saladier, versez les flocons de sarrasin, puis les graines de lin moulues dans un moulin à café. Versez le lait de soja et laissez gonfler quelques minutes.

2 Ajoutez le tofu soyeux et la farine de lupin. Mélangez et salez. Épluchez l'oignon, hachez-le finement et ajoutez-le à la préparation.

3 Épluchez et râpez la carotte, lavez et râpez la courgette. Ajoutez-les avec 1 pincée de poivre et les graines de cumin et mélangez bien. Réservez.

4 Pour la râpée, taillez le chou blanc en fines lanières.

5 Préparez une sauce en versant le vinaigre de cidre sur le sucre de canne, mélangez. Ajoutez le sel, l'huile de sésame et le wasabi. Mélangez et versez sur le chou. Saupoudrez de graines de sésame. Réservez.

6 Préparez les galettes. Aidez-vous d'un cercle à pâtisserie pour façonner des galettes bien rondes avec la préparation au sarrasin. Dans une poêle, faites chauffer 1 filet d'huile d'olive. Déposez le cercle à pâtisserie sur la poêle et versez la préparation dedans, laissez cuire 4 min avant d'ôter le cercle à pâtisserie et retournez la galette.

SANS
GLUTEN

RISOTTO À L'ORGE PERLÉ
ET AUX PETITS POIS

POUR 4 PERSONNES

FACILE
COÛT €

15 MIN DE PRÉPARATION
30 MIN DE CUISSON

250 g d'orge perlé • 250 g de petits pois frais écossés • 1 oignon • 15 cl de vin blanc sec • 2 cubes de bouillon de légumes • 5 cl de crème d'avoine • 3 cuil. à soupe d'huile d'olive

1 Dans une sauteuse, faites chauffer l'huile d'olive. Pelez l'oignon, hachez-le et faites-le revenir dans l'huile.

2 Rincez l'orge perlé et ajoutez-le dans la sauteuse. Mélangez. Laissez dorer 2 min, tout en mélangeant, puis versez le vin blanc sec.

3 Faites fondre les cubes de bouillon dans 1 l d'eau bouillante. Réservez.

4 Une fois le vin blanc absorbé, ajoutez les petits pois. Commencez à verser 1 louche de bouillon de légumes. Une fois le bouillon absorbé, renouvelez l'opération et ainsi de suite. Mélangez régulièrement.

5 En fin de cuisson, ajoutez la crème d'avoine, mélangez et servez aussitôt.

TIAN DE LÉGUMES

POUR 4 PERSONNES

FACILE
COÛT €

25 MIN DE PRÉPARATION
50 MIN DE CUISSON

3 oignons rouges • 5 gousses d'ail • 3 courgettes • 4 tomates • 2 aubergines • 1 cuil. à soupe d'herbes de Provence • 5 cuil. à soupe d'huile d'olive • Sel et poivre

1 Épluchez les oignons et coupez-les en lamelles. Dans une poêle, faites chauffer 2 cuil. à soupe d'huile d'olive. Ajoutez les oignons et faites-les cuire jusqu'à ce qu'ils soient translucides.

2 Épluchez les gousses d'ail, coupez-les en quatre et ajoutez-les dans la poêle. Mélangez 2 min et ôtez du feu. Versez le tout dans un plat allant au four.

3 Préchauffez le four à 180 °C (th. 6).

4 Lavez les courgettes et tranchez-les en fines rondelles. Faites de même avec les tomates et les aubergines. Les rondelles doivent avoir une épaisseur similaire.

5 Disposez les rondelles de légumes sur les oignons en alternant courgette, tomate et aubergine. Saupoudrez d'herbes de Provence, de sel et de poivre. Ajoutez le reste d'huile d'olive et enfournez pour 50 min de cuisson. Dégustez chaud.

SANS GLUTEN

POIVRONS FARCIS

POUR 4 PERSONNES

FACILE
COÛT €

20 MIN DE PRÉPARATION
40 MIN DE CUISSON

4 poivrons rouges • 1 gousse d'ail • 1 oignon • 1 cm de racine de gingembre • 1 cuil. à café de curcuma • 1 cuil. à café de graines de cumin • 1 cuil. à soupe de curry en poudre • 2 cuil. à soupe d'amandes effilées • 300 g de riz cuit • 100 g de petits pois frais • ½ bouquet de coriandre • 3 cuil. à soupe de jus de citron • 4 cuil. à soupe d'huile de sésame grillé • Sel

1 Lavez les poivrons, coupez-les en deux. Ôtez les graines et les nervures blanches. Réservez.

2 Épluchez la gousse d'ail et hachez-la, faites de même avec l'oignon et la racine de gingembre. Réservez.

3 Préchauffez le four à 180 °C (th. 6).

4 Dans une sauteuse, faites chauffer l'huile de sésame grillé, ajoutez le curcuma, les graines de cumin, le curry et les amandes effilées. Mélangez, puis ajoutez l'ail, l'oignon et le gingembre.

5 Ajoutez le riz et les petits pois. Mélangez.

6 Rincez et effeuillez la coriandre, hachez grossièrement les feuilles avant de les ajouter dans la sauteuse. Arrosez de jus de citron et salez. Ôtez du feu.

7 Répartissez la farce dans les poivrons. Déposez-les dans un plat allant au four et enfournez sur une grille position basse pour 25 min de cuisson. Dégustez aussitôt.

CHAUSSONS ÉPICÉS

POUR 4 PERSONNES

FACILE
COÛT €

30 MIN DE PRÉPARATION
30 MIN DE CUISSON

300 g de farine de blé T 65 • 150 g de margarine végétale non hydrogénée • 4 tomates • 1 poivron rouge • 2 oignons • 1 gousse d'ail • 1 cuil. à café de curcuma • 1 pincée de piment d'Espelette • 1 cuil. à café de cumin • 1 bonne pincée de gingembre en poudre • 1 cuil. à café de moutarde • Huile d'olive • Sel et poivre noir

1 Mélangez la farine de blé avec 1 demi-cuil. à café de sel et la margarine à température ambiante. Ajoutez 8 cl d'eau et pétrissez jusqu'à obtenir une boule. Divisez-la en quatre et réservez.

2 Préchauffez le four à 200 °C (th. 6-7).

3 Lavez les tomates, coupez-les en dés. Lavez le poivron, ôtez le pédoncule et les graines et coupez-le en dés. Épluchez les oignons et hachez-les. Réservez.

4 Dans une poêle, faites chauffer 1 bon filet d'huile d'olive, ajoutez les dés de tomates, de poivron et les oignons hachés. Mélangez.

5 Ajoutez l'ail pressé, le curcuma, 1 pincée de poivre, le piment d'Espelette, le cumin et le gingembre. Ajoutez la moutarde et salez à votre convenance.

6 Quand les légumes sont tendres, ôtez du feu.

7 Étalez les ronds de pâte sur un plan de travail fariné. Répartissez les légumes au centre et mouillez tout le tour de la pâte. Soudez en pliant en deux et en appuyant bien tout autour.

8 Enfournez pour 20 min de cuisson et laissez légèrement refroidir avant de déguster.

ASTUCE
Essayez une version sucrée avec une compotée de fruits de saison.

CROQUETTES AUX FLOCONS
D'AVOINE ET SAUCE AUX HERBES

POUR 4 PERSONNES

FACILE
COÛT €

40 MIN DE PRÉPARATION
20 MIN DE REPOS
10 MIN DE CUISSON

POUR LES CROQUETTES : 200 g de flocons d'avoine • 2 cuil. à soupe de graines de lin moulues • 50 cl de lait de riz • 60 g de tofu soyeux • 2 gousses d'ail • 2 échalotes • 2 cuil. à soupe de concentré de tomates • 1 bonne pincée de noix muscade • 1 filet d'huile d'olive • Sel et poivre
POUR LA SAUCE : ½ bouquet de persil • ½ bouquet de basilic • 3 brins d'estragon • 2 cuil. à soupe de câpres • 50 g de noix de Grenoble sans leur coque • 2 cuil. à soupe de vinaigre de cidre • 1 cuil. à soupe de sirop d'agave • 8 cl d'huile de noix • Sel

1 Dans un saladier, versez les flocons d'avoine et les graines de lin. Ajoutez le lait de riz, mélangez et laissez reposer 20 min. Égouttez bien.

2 Ajoutez le tofu soyeux, et pressez les gousses d'ail épluchées dans le saladier. Pelez et hachez les échalotes, ajoutez-les avec le concentré de tomates et mélangez bien. Salez, poivrez et ajoutez la noix muscade. Soyez généreux dans votre assaisonnement pour que les croquettes ne soient pas fades.

3 Dans une poêle, faites chauffer l'huile d'olive. Façonnez les croquettes dans le creux de vos mains et déposez-les dans la poêle. Faites-les cuire 10 min à feu moyen.

4 Pendant ce temps, préparez la sauce aux herbes. Rincez et effeuillez le persil, le basilic et l'estragon. Déposez les feuilles dans le bol d'un mixeur. Ajoutez les câpres, l'huile de noix, les noix de Grenoble, le vinaigre de cidre et le sirop d'agave. Ajoutez 2 cuil. à soupe d'eau. Salez.

5 Mixez le tout finement avant de servir avec les croquettes.

ASTUCE
Pour une version sans gluten, testez la recette avec des flocons de sarrasin, de quinoa ou encore de millet.

RAVIOLIS AUX PIGNONS
ET AUBERGINES

POUR 4 PERSONNES

DIFFICILE
COÛT €

1 H 30 DE PRÉPARATION
1 H DE REPOS
15 MIN DE CUISSON

200 g de farine de blé T 65 • 2 aubergines • 200 g de tofu ferme aux herbes • 3 cuil. à soupe de concentré de tomates • 1 gousse d'ail • 50 g de pignons de pin • 1 bouquet de coriandre • ½ cuil. à café de gingembre en poudre • 2 cuil. à soupe de sauce soja salée • Fécule de pomme de terre • 1 cube de bouillon de légumes • 1 filet d'huile d'olive • Sel

1 Faites bouillir 15 cl d'eau, versez-la sur la farine de blé en mélangeant à la fourchette. Quand le mélange a refroidi, pétrissez pendant 5 min puis formez une boule. Laissez reposer 1 h à température ambiante.

2 Épluchez les aubergines et coupez-les en petits dés. Dans une poêle, faites chauffer l'huile d'olive et ajoutez les dés d'aubergines. Faites cuire à feu moyen.

3 Pendant ce temps, coupez le tofu ferme en petits dés et ajoutez-les dans la poêle avec le concentré de tomates. Mélangez.

4 Pressez la gousse d'ail dans la poêle. Hachez grossièrement les pignons de pin et ajoutez-les, puis les feuilles de coriandre et salez.

5 Saupoudrez de gingembre et ajoutez la sauce soja. Quand les dés d'aubergines sont bien tendres, ôtez du feu.

6 Façonnez des boules d'environ 1,5 cm de diamètre dans la pâte qui a reposé. Saupoudrez le plan de travail de fécule de pomme de terre pour éviter qu'elles ne collent. Étalez finement les boules de pâte au rouleau à pâtisserie.

7 Déposez 1 cuil. à café bombée de préparation à l'aubergine au centre de la pâte, mouillez le tour et soudez en pliant en deux.

8 Faites bouillir 1 l d'eau avec le cube de bouillon et faites cuire les raviolis par 6 pendant environ 3 min. Ils sont cuits quand la pâte devient transparente. Servez aussitôt.

DESSERTS

VERRINES FRUITÉES
EN GELÉE

POUR 4 PERSONNES

FACILE
COÛT €

10 MIN DE PRÉPARATION
2 MIN DE CUISSON

12 fraises • 12 framboises • 2 poignées de myrtilles • 2 poignées de groseilles • 2 g d'agar-agar • 2 cuil. à café de feuilles de thé aux agrumes • 4 cuil. à soupe de sirop d'agave

1 Faites bouillir 50 cl d'eau dans une casserole avec l'agar-agar. Versez sur les feuilles de thé et laissez infuser. Sucrez avec le sirop d'agave.

2 Pendant ce temps, rincez les fruits et répartissez-les dans 4 grands ramequins.

3 Filtrez le thé et versez-le sur les fruits. Laissez refroidir.

4 Conservez au réfrigérateur et, quand le thé est bien gélifié, servez.

ASTUCE
En hiver, utilisez un thé fruité et des suprêmes d'agrumes (pamplemousses, clémentines ou oranges) à la place des fruits rouges.

SANS
GLUTEN

CRÈME À LA PISTACHE

POUR 4 PERSONNES

FACILE
COÛT €€

10 MIN DE PRÉPARATION
5 MIN DE CUISSON
2 H DE RÉFRIGÉRATION

100 g de purée de pistaches • 25 cl de lait de coco • 25 cl de crème d'amande • 50 g de sucre de canne blond • 2 g d'agar-agar • 2 cuil. à soupe de pistaches concassées non salées

1 Dans une casserole, mettez la purée de pistaches et délayez petit à petit avec le lait de coco.

2 Incorporez la crème d'amande et le sucre de canne en mélangeant bien. Ajoutez l'agar-agar et chauffez en mélangeant.

3 Portez à ébullition pendant 30 s et versez dans des ramequins. Laissez refroidir et mettez au réfrigérateur pendant 2 h.

4 Au moment de déguster, parsemez de pistaches concassées.

ASTUCE
Essayez la version noisette en remplaçant la purée de pistaches par de la purée de noisettes et les pistaches concassées par du pralin.

SANS
GLUTEN

CRUMBLE POIRE ET AMANDE

POUR 4 PERSONNES

FACILE
COÛT €

15 MIN DE PRÉPARATION
25 MIN DE CUISSON

4 poires • 150 g de purée d'amandes • Le jus de 1 citron • 1 cuil. à café de cannelle en poudre • 200 g de sucre de canne blond • 150 g de farine de riz complet

1 Épluchez les poires, ôtez les pépins et coupez la chair en petits dés. Arrosez-les de jus de citron et saupoudrez de cannelle et de 50 g de sucre. Mélangez et versez dans un plat allant au four.

2 Préchauffez le four à 180 °C (th. 6).

3 Dans un saladier, versez le reste de sucre, la purée d'amandes et la farine de riz. Mélangez jusqu'à obtenir un mélange grumeleux. Disposez sur les poires.

4 Enfournez pour 25 min de cuisson. Dégustez tiède.

ASTUCE
En saison, testez le crumble aux fruits rouges.

SANS
GLUTEN

TARTE CRUE AU KIWI

POUR 4 PERSONNES

FACILE
COÛT €

1 NUIT DE TREMPAGE
15 MIN DE PRÉPARATION

2 kiwis • 12 dattes • 75 g de noix • 1 cuil. à café d'extrait de vanille • 2 cuil. à soupe de sirop d'agave • 1 cuil. à soupe de noix de coco râpée

1 Faites tremper les dattes et les noix toute 1 nuit. Le trempage est important pour mixer plus facilement et obtenir une texture onctueuse.

2 Le lendemain, mixez les dattes et les noix avec l'extrait de vanille et le sirop d'agave jusqu'à obtenir une pâte homogène.

3 À l'aide d'un cercle à pâtisserie, étalez la pâte en 4 fines couches, une par tartelette et directement dans l'assiette de service.

4 Épluchez les kiwis, coupez-les en lamelles et disposez-les sur la pâte. Saupoudrez de noix de coco râpée et servez.

VARIANTE
Vous pouvez réaliser cette recette avec du kaki.

SANS
GLUTEN

GÂTEAU AU CHOCOLAT ET PATATE DOUCE

POUR 4 PERSONNES

FACILE
COÛT €

15 MIN DE PRÉPARATION
30 MIN DE CUISSON
2 H DE RÉFRIGÉRATION

150 g de chocolat noir pâtissier • 150 g de purée de patates douces • 4 cuil. à soupe de purée d'amandes • 3 cuil. à soupe de sucre de canne • 200 g de tofu soyeux • 2 cuil. à soupe de sirop d'agave • 4 cuil. à soupe de farine de riz

1 Faites fondre le chocolat avec 2 cuil. à soupe de purée d'amandes.

2 Préchauffez le four à 180 °C (th. 6).

3 Dans un saladier, mélangez le chocolat avec le sucre de canne et la moitié du tofu soyeux. Ajoutez 2 cuil. à soupe de farine de riz et mélangez. Réservez.

4 Dans un autre saladier, mélangez la purée de patates douces avec le sirop d'agave et le reste de purée d'amandes. Ajoutez le reste de farine de riz, le reste de tofu soyeux et mélangez. Réservez.

5 Huilez et farinez des moules individuels et versez les deux préparations en même temps (comme pour un gâteau marbré) pour obtenir différentes couches de couleur orange et chocolat.

6 Enfournez pour 30 min de cuisson. Laissez refroidir et placez au moins 2 h au réfrigérateur avant de servir.

SANS
GLUTEN

GLACE ABRICOT ET AMANDE

POUR 4 PERSONNES

15 MIN DE PRÉPARATION
30 MIN DE CUISSON
30 MIN DE RÉFRIGÉRATION
30 MIN DE TURBINAGE

FACILE
COÛT €

MATÉRIEL

Mixeur

500 g d'abricots frais • 8 abricots secs • 25 cl de crème d'amande • 1 cuil. à soupe de purée d'amandes blanches • 3 gouttes d'extrait d'amande amère • 6 cl de sirop d'agave

1 Pochez les abricots frais 3 min dans de l'eau frémissante, puis pelez-les et dénoyautez-les.

2 Déposez-les dans le bol d'un mixeur avec le sirop d'agave, la crème d'amande, la purée d'amandes blanches et l'extrait d'amande amère. Mixez finement le tout.

3 Coupez les abricots secs en petits dés de 0,5 cm. Mélangez-les aux abricots mixés. Placez ce mélange 30 min au réfrigérateur ; il doit être bien frais avant d'être mis en sorbetière.

4 Turbinez la préparation en sorbetière pendant 30 min. Vous pouvez la conserver au congélateur mais pensez à la placer au réfrigérateur 20 min avant de servir, afin que la glace ne soit pas trop dure.

SANS
GLUTEN

COOKIES NOIX ET CHOCOLAT

POUR 10 COOKIES

15 MIN DE PRÉPARATION
12 MIN DE CUISSON

FACILE
COÛT €

MATÉRIEL

Robot muni d'une lame en S

100 g de cerneaux de noix • 80 g de chocolat noir • 100 g de pois chiches cuits • 30 g de graines de lin • 7,5 cl de sirop d'agave • 1 cuil. à café de poudre de vanille • 1 cuil. à café de bicarbonate de soude • 1 pincée de sel

1 Dans le bol du robot, versez les pois chiches cuits. Ajoutez les cerneaux de noix.

2 Coupez le chocolat en petits morceaux et ajoutez-les dans le bol.

3 Passez les graines de lin au moulin à café et ajoutez-les. Elles remplaceront les œufs et donneront du liant.

4 Versez le sirop d'agave dans le bol, puis la poudre de vanille, le bicarbonate de soude et le sel.

5 Mixez le tout à pleine puissance. Vous devez obtenir une texture homogène et assez lisse. Faites-le en plusieurs fois pour que le robot ne chauffe pas trop.

6 Préchauffez le four à 180 °C (th. 6).

7 À l'aide d'une cuillère à soupe, façonnez les biscuits sur une plaque à pâtisserie. Enfournez pour 12 min de cuisson.

8 Sortez les cookies du four et laissez refroidir avant dégustation.

SANS GLUTEN

BÛCHE DE NOËL
CHOCOLAT-NOISETTES

POUR 8 PERSONNES

FACILE
COÛT €€

15 MIN DE PRÉPARATION
10 MIN DE CUISSON
1 NUIT DE REPOS

300 g de chocolat noir • 200 g de purée de noisettes • 1 kg de courge butternut • 40 g de sucre de canne blond • 50 g d'huile de coco • 1 cuil. à soupe d'éclats de fève de cacao • 1 cuil. à soupe de cacao en poudre

1 Épluchez la courge butternut, ôtez les graines. Coupez-la en dés et faites-les cuire à la vapeur pendant 10 min.

2 Au bain-marie, faites fondre ensemble le chocolat, la purée de noisettes et l'huile de coco. Mélangez bien.

3 Dans le bol d'un robot muni d'une lame en S, versez les dés de courge butternut, le chocolat fondu avec la purée de noisettes et l'huile de coco. Ajoutez le sucre de canne. Mixez à pleine puissance pendant 2 min. Vous devez obtenir une texture fine.

4 Versez la préparation dans un moule à cake en silicone (plus facile à démouler). Ensuite, laissez reposer 1 nuit au réfrigérateur.

5 Le lendemain, démoulez, saupoudrez de cacao en poudre, décorez avec les éclats de fève de cacao et servez.

SANS
GLUTEN

MOUSSE AU CHOCOLAT

POUR 2 PERSONNES

FACILE
COÛT €

1 NUIT
+ 4 H DE RÉFRIGÉRATION
10 MIN DE PRÉPARATION

1 boîte de 40 cl de lait de coco • 2 cuil. à soupe de cacao en poudre • 2 cuil. à soupe de sirop d'agave

1 La veille au soir, placez la boîte de lait de coco au réfrigérateur. Le lendemain, ouvrez la boîte, prélevez uniquement la partie solide et déposez-la dans un saladier.

2 Mélangez vivement la crème de coco au batteur. Tamisez le cacao et ajoutez-le.

3 Ajoutez le sirop d'agave et mélangez de nouveau.

4 Répartissez dans des ramequins et placez au frais 4 h avant de déguster.

ASTUCE
À défaut de lait de coco, optez pour du tofu soyeux.

SANS GLUTEN

RIZ AU LAIT VÉGÉTAL

POUR 8 PERSONNES

FACILE
COÛT €

10 MIN DE PRÉPARATION
45 MIN DE CUISSON

100 g de riz rond • 1 l de lait de soja vanille • 3 cuil. à soupe de sucre de canne blond • 1 cuil. à soupe de purée d'amandes

1 Dans une casserole, versez le lait de soja vanille et portez à ébullition.

2 Ajoutez le sucre ainsi que la purée d'amandes et mélangez.

3 Baissez la température pour faire des petits bouillons et versez le riz en pluie dans la casserole.

4 Mélangez régulièrement jusqu'à ce que le riz affleure à la surface.

5 Versez dans des bols et laissez refroidir avant de déguster tiède ou froid.

ASTUCE
Essayez aussi avec du lait de noisette.

SANS
GLUTEN

CLAFOUTIS AUX CERISES

POUR 4 PERSONNES

15 MIN DE PRÉPARATION
50 MIN DE CUISSON

FACILE
COÛT €

MATÉRIEL

Blender

600 g de cerises • 50 g de farine de blé T 65 • 60 g de fécule de maïs • 100 g de sucre de canne blond • 25 cl de lait de coco • 25 cl de crème d'amande • 100 g de tofu soyeux • 1 cuil. à soupe de purée d'amandes blanches • 1 cuil. à soupe de poudre de vanille • 2 cuil. à soupe d'huile d'olive • ½ cuil. à café de sel

1 Préchauffez le four à 200 °C (th. 6-7).

2 Mélangez la farine, la fécule de maïs, le sucre de canne blond et le sel. Réservez.

3 Dans le blender, versez le lait de coco, la crème d'amande, le tofu soyeux, l'huile d'olive, la purée d'amandes et la poudre de vanille. Mixez bien le tout.

4 Versez cette préparation sur les ingrédients secs, en mélangeant petit à petit pour ne pas former de grumeaux.

5 Déposez les cerises entières dans le fond d'un moule à manquer et versez la préparation.

6 Enfournez pour 50 min de cuisson. Servez tiède.

ASTUCE
Hors saison des cerises, utilisez des pruneaux.

PANNA COTTA À LA FRAMBOISE

POUR 8 PERSONNES

15 MIN DE PRÉPARATION
5 MIN DE CUISSON
2 H DE RÉFRIGÉRATION

FACILE
COÛT €

MATÉRIEL

Blender

500 g de framboises • 25 cl de lait de soja vanille • 25 cl de crème de soja • 7 cl de sirop d'agave • 2 g d'agar-agar • 2 cuil. à soupe de jus de citron

1 Dans une casserole, diluez l'agar-agar dans le lait de soja vanille et portez à ébullition pendant 1 min.

2 Ôtez du feu et ajoutez la crème de soja, mélangez. Ajoutez ensuite la moitié du sirop d'agave et mélangez de nouveau. Versez dans 4 ramequins et laissez refroidir.

3 Pendant ce temps, rincez les framboises. Réservez-en 8 entières et mettez le reste dans le blender avec le jus de citron. Mixez à pleine puissance pendant 2 min.

4 Passez les framboises mixées au chinois pour ôter toutes les petites graines. Ajoutez le reste de sirop d'agave au coulis de framboises filtré.

5 Placez les panna cotta et le coulis de framboises au réfrigérateur pendant 2 h.

6 Au moment de servir, répartissez le coulis de framboises sur les panna cotta et décorez de 1 framboise.

ASTUCE
Variez les plaisirs en variant les coulis de fruits !

SANS
GLUTEN

YAOURT AU SOJA

POUR 7 YAOURTS

10 MIN DE PRÉPARATION
10 H DE CUISSON
4 H DE RÉFRIGÉRATION

FACILE
COÛT €

MATÉRIEL

Yaourtière

1 yaourt au soja nature • 1 l de lait de soja vanille • 4 cuil. à soupe de sucre de canne blond • 7 cuil. à soupe de confiture au choix

1 Dans un récipient à bec verseur, déposez le yaourt au soja, mélangez-le bien.

2 Petit à petit, ajoutez le lait de soja vanille, puis le sucre. La préparation doit être bien homogène et le yaourt au soja délayé.

3 Déposez 1 cuil. à soupe de confiture dans chaque pot de yaourt, puis versez par-dessus la préparation. Fermez la yaourtière et laissez-la travailler 10 h. Ensuite, placez les pots au réfrigérateur au moins 4 h avant dégustation.

À SAVOIR
Le lait de soja est le seul lait végétal avec lequel on peut préparer des yaourts.

SANS GLUTEN

CHEESECAKE
FRUIT DE LA PASSION

POUR 8 PERSONNES

1 NUIT DE TREMPAGE
15 MIN DE PRÉPARATION
40 MIN DE CUISSON
4 H DE RÉFRIGÉRATION

FACILE
COÛT €

MATÉRIEL

Mixeur

6 fruits de la Passion • 200 g de noix de cajou • 250 g de biscuits vegan type spéculoos • 400 g de tofu soyeux • 40 cl de lait de coco • 2 g d'agar-agar • 40 g de fécule de maïs • 70 g de sucre • 1 cuil. à café d'extrait de vanille • 3 cl de sirop d'agave • 40 g d'huile de coco • 1 pincée de sel

1 La veille, faites tremper les noix de cajou. Égouttez-les au moment de préparer le cheesecake.

2 Faites fondre l'huile de coco dans une casserole. Déposez les biscuits dans le bol d'un mixeur et versez l'huile de coco par-dessus avant de mixer.

3 Dans un cercle à pâtisserie d'environ 20 cm de diamètre, répartissez et tassez les biscuits. Réservez.

4 Préchauffez le four à 180 °C (th. 6).

5 Mixez le tofu soyeux et les noix de cajou avec le lait de coco. Ajoutez l'agar-agar, la fécule de maïs, le sel, le sucre et l'extrait de vanille. Mixez le tout et versez sur les biscuits tassés. Enfournez aussitôt pour 40 min de cuisson.

6 Pendant ce temps, prélevez la chair des fruits de la Passion. Passez au tamis pour ôter les graines. Ajoutez le sirop d'agave et mélangez. Réservez au frais.

7 Une fois le cheesecake cuit, laissez-le refroidir avant de le placer au moins 4 h au réfrigérateur.

8 Au moment de servir, versez le coulis de fruits de la Passion sur le cheesecake.

ASTUCE
Variez les coulis de fruits : framboises, myrtilles ou abricots sont à tenter !

BAVAROIS MYRTILLES

POUR 6 PERSONNES

30 MIN DE PRÉPARATION
25 MIN DE CUISSON
3 H DE RÉFRIGÉRATION

UN PEU DIFFICILE
COÛT €

MATÉRIEL

Blender

POUR LE BISCUIT : 80 g de farine de riz • 20 g d'arrow-root • 100 g de sucre de canne blond • 5 cuil. à soupe de tofu soyeux
POUR LA MOUSSE DE MYRTILLES : 500 g de myrtilles • 2 g d'agar-agar • 20 cl de lait de coco • 3 cl de sirop d'agave
POUR LE NAPPAGE À LA FRAMBOISE : 20 cl de jus de framboise • ¼ cuil. à café d'agar-agar

1 Préchauffez le four à 180 °C (th. 6).

2 Pour le biscuit, mélangez la farine de riz, l'arrow-root et le sucre de canne. Ajoutez le tofu soyeux et mélangez pour obtenir une pâte lisse.

3 Étalez du papier sulfurisé sur une plaque à pâtisserie. Posez un cercle à pâtisserie de 20 cm dessus et versez la préparation.

4 Enfournez pour 20 min de cuisson. Sortez du four et laissez refroidir.

5 Pendant ce temps, préparez la mousse de myrtilles. Mixez les myrtilles dans le blender avec 3 cuil. à soupe d'eau. Filtrez la purée obtenue à l'aide d'un chinois.

6 Mettez la purée de myrtilles filtrée dans une casserole avec l'agar-agar et portez à ébullition pendant 2 min tout en mélangeant. Ôtez du feu et ajoutez le lait de coco puis le sirop d'agave et mélangez.

7 Versez la purée de myrtilles sur le biscuit cerclé, laissez refroidir puis placez au moins 2 h au réfrigérateur pour que la mousse prenne bien.

8 Préparez le nappage à la framboise en versant le jus de framboise dans une casserole avec l'agar-agar. Portez à ébullition pendant 30 s tout en mélangeant. Ce coulis de framboises va servir à napper le bavarois.

9 Ôtez du feu et laissez refroidir quelques minutes. Sortez le bavarois du réfrigérateur et versez le nappage à la framboise par-dessus. Laissez refroidir et placez 1 h au réfrigérateur avant de servir.

SANS
GLUTEN

GÂTEAU DE SEMOULE

POUR 4 PERSONNES

FACILE
COÛT €

1 NUIT DE TREMPAGE
10 MIN DE PRÉPARATION
10 MIN DE CUISSON
2 H DE RÉFRIGÉRATION

80 g de semoule de blé fine • 50 cl de lait d'amande • 60 g de raisins secs • 6 cl de sirop d'érable • 1 cuil. à soupe de purée d'amandes • 1 cuil. à soupe d'extrait de vanille

1 Faites tremper les raisins secs pendant 1 nuit, puis égouttez-les.

2 Faites chauffer le lait d'amande et, pendant qu'il chauffe, ajoutez le sirop d'érable, la purée d'amandes et l'extrait de vanille. Mélangez et portez à ébullition.

3 Versez la semoule en pluie et les raisins secs dans le lait d'amande. Mélangez 1 min à feu doux puis versez dans des moules individuels en silicone.

4 Laissez refroidir, puis placez au réfrigérateur pendant 2 h pour les faire prendre.

ASTUCE
Vous pouvez remplacer le sirop d'érable par du sirop d'agave.

PÊCHES DE VIGNE
POCHÉES AU CARAMEL

POUR 4 PERSONNES

FACILE
COÛT €

10 MIN DE PRÉPARATION
15 MIN DE CUISSON

8 pêches plates • 250 g de sucre de canne blond • 1 cuil. à café de vinaigre blanc

1 Dans une casserole, faites bouillir de l'eau et plongez-y les pêches pendant 3 min. Pelez-les.

2 Dans une casserole, versez le sucre de canne blond, le vinaigre blanc et 6 cl d'eau et faites chauffer à feu doux pour obtenir un caramel.

3 Quand le caramel a atteint la bonne couleur, au bout de 10 min environ (attention ! pas assez coloré, il n'a pas assez de goût et trop, il est amer), posez la casserole dans l'évier et ajoutez 10 cl d'eau en prenant garde aux projections éventuelles.

4 Remettez sur feu doux 2 min en remuant la casserole. Retirez-la du feu et laissez refroidir. Vous obtenez un caramel liquide qui ne durcit pas.

5 Coupez les pêches plates en deux puis en lamelles et disposez-les en rosace dans une assiette.

6 Versez le caramel dessus et servez.

ASTUCE
Variez les plaisirs en essayant l'abricot ou la poire pochée.

SANS GLUTEN

GAUFRES LIÉGEOISES

POUR 4 PERSONNES

15 MIN DE PRÉPARATION
1 H 25 DE REPOS
3 MIN DE CUISSON PAR GAUFRE

FACILE
COÛT €

MATÉRIEL

Gaufrier

250 g de farine de blé T 65 • 15 cl de lait d'amande • 1 sachet de levure de boulanger déshydratée • 30 g de fécule de pomme de terre • 30 g de sucre de canne blond • 1 cuil. à café de cannelle en poudre • 50 g de margarine végétale • 40 g de purée d'amandes blanches • 100 g de sucre perlé • 6 cl d'huile d'olive • 1 pincée de sel

1 Faites tiédir le lait d'amande à feu doux et versez-y la levure. Laissez reposer 10 min.

2 Pendant ce temps, mélangez la farine, la fécule de pomme de terre, le sucre de canne, le sel et la cannelle.

3 Ajoutez la margarine végétale à température ambiante, l'huile d'olive et la purée d'amandes. Versez le mélange lait d'amande-levure de boulanger puis pétrissez pendant 5 min.

4 Laissez reposez la pâte au chaud à couvert pendant 1 h.

5 Mélangez la pâte levée avec le sucre perlé. Façonnez des boules dans le creux de vos mains et laissez-les reposer encore 15 min.

6 Huilez et chauffez le gaufrier. Faites cuire la pâte pendant environ 3 min. Les gaufres doivent être dorées et se dégustent encore tièdes.

ASTUCE

Les gaufres sont cuites dès qu'elles ont pris une coloration caramel doré.

PETITES GOURMANDISES

BRIOCHE

POUR 4 PERSONNES

UN PEU DIFFICILE
COÛT €

30 MIN DE PRÉPARATION
30 MIN DE CUISSON
3 H DE REPOS

25 cl de lait de coco • 20 g de levure de boulanger fraîche • 150 g de farine de blé T 65 • 50 g de fécule de maïs • 350 g de farine d'épeautre blanche • 50 g de poudre de sirop d'agave • 120 g de margarine végétale non hydrogénée • 100 g de pépites de chocolat noir • Lait d'amande • 10 g de sel

1 Dans une casserole, faites tiédir le lait de coco et émiettez dedans la levure de boulanger. Laissez reposer 10 min.

2 Dans un saladier, mettez la farine de blé, la fécule de maïs, la farine d'épeautre, la poudre de sirop d'agave, le sel et la margarine. Versez le lait de coco et pétrissez pendant 10 min, à la main ou à l'aide d'un robot. Ajoutez un peu de farine si la pâte est trop collante.

3 Laissez la pâte reposer et gonfler pendant 1 h à couvert, dans un endroit chaud.

4 Ajoutez les pépites de chocolat et pétrissez pendant 2 min. Façonnez la brioche selon votre envie, tressez-la ou déposez-la dans un moule à cake ou à charlotte. Laissez reposer la pâte encore 2 h.

5 Préchauffez le four à 200 °C (th. 6-7).

6 Faites des incisions sur la pâte, badigeonnez-la de lait d'amande avant de l'enfourner pour 30 min de cuisson.

7 Dégustez tiède ou froid.

ASTUCE
Vous pouvez remplacer les pépites de chocolat par des raisins secs, des canneberges séchées ou encore des morceaux d'abricots secs.

LAMELLES À LA FRAMBOISE

POUR 4 PERSONNES

20 MIN DE PRÉPARATION
12 H DE DÉSHYDRATATION

FACILE
COÛT €

MATÉRIEL

Déshydrateur

200 g de framboises • 2 cuil. à soupe de jus de citron • 100 g banane mûre • 50 g de sucre de canne blond • 30 g de purée d'amandes blanches

1 Mixez les framboises avec le jus de citron et passez la préparation au chinois pour ôter toutes les petites graines.

2 Mixez le jus obtenu avec la banane, le sucre de canne et la purée d'amandes.

3 Étalez la préparation sur une feuille de papier cuisson pour déshydrateur. Aidez-vous d'une maryse pour former une couche fine.

4 Faites déshydrater à 50 °C pendant environ 12 h. La durée de déshydratation sera à adapter à votre déshydrateur. La pâte doit se tenir et ne plus être trop collante.

5 Ensuite, coupez des lamelles dans la pâte de framboise. Vous pouvez les conserver six mois dans un bocal hermétiquement fermé à l'abri de l'air et de la lumière.

ASTUCE

Si vous n'avez pas de déshydrateur, vous pouvez préparer les lamelles à la framboise au four à 60 °C (th. 2) pendant 6 h, puis à 45 °C (th. 1-2) pendant 5 h.

SANS
GLUTEN

TRUFFES

POUR 6 PERSONNES

FACILE
COÛT €

30 MIN DE PRÉPARATION
10 MIN DE CUISSON
2 H DE RÉFRIGÉRATION

200 g de chocolat noir à 70 % • 70 g de sucre glace • 10 cl de crème d'avoine • 100 g de purée de noix de cajou • 40 g de cacao en poudre

1. Dans une casserole, mélangez le sucre glace et la crème d'avoine à feu doux.

2. Ajoutez la purée de noix de cajou et mélangez jusqu'à obtenir une préparation homogène.

3. Cassez le chocolat et ajoutez-le en mélangeant pour qu'il fonde.

4. Versez la préparation dans un moule, vous devez avoir environ 3 cm d'épaisseur. Ensuite, placez au réfrigérateur pendant 2 h.

5. Prélevez de la pâte au chocolat avec une petite cuillère et façonnez des boules au creux de vos mains. Roulez-les ensuite dans le cacao en poudre.

6. Rangez au frais dans une boîte hermétique. Les truffes peuvent se conserver une semaine.

ASTUCE

Pour varier les plaisirs, remplacez le cacao en poudre par de la noix de coco râpée, des graines de sésame ou des éclats de fève de cacao.

BARRE DE CÉRÉALES

POUR 6 PERSONNES

1 NUIT DE TREMPAGE
15 MIN DE PRÉPARATION
4 H DE RÉFRIGÉRATION

FACILE
COÛT €

MATÉRIEL

Mixeur

12 figues sèches • 80 g de purée de cacahuètes • 5 cl de sirop d'érable • 100 g de flocons d'avoine • 80 g de graines de tournesol • 40 g de graines de sésame • 1 pincée de sel

1 La veille, faites tremper les figues. Le lendemain, égouttez-les, ôtez le pédoncule et déposez-les dans le bol du mixeur. Ajoutez la purée de cacahuètes, le sirop d'érable et le sel. Mixez bien pour obtenir une pâte homogène.

2 Déposez cette pâte dans un saladier et ajoutez les flocons d'avoine, les graines de tournesol et les graines de sésame. Mélangez bien.

3 Tapissez un plat rectangulaire de papier sulfurisé, puis versez la préparation. Tassez bien et placez au réfrigérateur au moins 4 h.

4 Quand la préparation est bien prise, découpez des rectangles. Vous pouvez conserver les barres de céréales un mois au réfrigérateur.

ASTUCE

Pour une version sans gluten,
essayez les flocons de riz, de millet ou de quinoa.

GRANOLA

POUR 10 PERSONNES

FACILE
COÛT €

15 MIN DE PRÉPARATION
10 MIN DE CUISSON

100 g de noisettes entières • 100 g de noix de cajou • 300 g de flocons d'avoine • 7 cl de sirop d'érable • 30 g de sucre de canne • 1 cuil. à soupe de cannelle en poudre • 120 g de raisins secs • 50 g de graines de courge • 50 g d'amandes effilées • 50 g d'huile de coco

1 Préchauffez le four à 150 °C (th. 5).

2 Hachez grossièrement les noisettes et les noix de cajou. Mettez-les dans un saladier et ajoutez les flocons d'avoine.

3 Chauffez l'huile de coco pour la liquéfier. Ajoutez-la sur les flocons d'avoine. Incorporez le sirop d'érable, le sucre de canne et la cannelle. Mélangez bien pour obtenir une préparation homogène.

4 Étalez sur une plaque allant au four et enfournez pour 12 min de cuisson. Les flocons d'avoine doivent être dorés. Laissez refroidir.

5 Ajoutez les raisins secs. Dans une poêle, faites griller à sec les graines de courge. Ajoutez-les ainsi que les amandes effilées. Mélangez.

6 Conservez le granola dans un bocal hermétique. Dégustez-le dans un yaourt de soja ou un lait végétal.

PÂTE À TARTINER

POUR 1 POT

FACILE
COÛT €

15 MIN DE PRÉPARATION
10 MIN DE CUISSON

80 g de chocolat noir • 1 cuil. à soupe de crème d'amande • 60 g de purée de noisettes • 4 cl de sirop d'érable • 1 cuil. à café de cacao en poudre • 50 g d'huile de coco

1 Faites fondre le chocolat au bain-marie, ajoutez la crème d'amande et la purée de noisettes. Mélangez bien pour obtenir une préparation homogène.

2 Incorporez l'huile de coco.

3 Ôtez du feu et ajoutez le sirop d'érable et le cacao en poudre.

4 Versez dans un pot à confiture et laissez prendre avant de déguster.

ASTUCE
Cette pâte peut se conserver au frais environ deux semaines.

SANS GLUTEN

SMOOTHIE VERT

POUR 2 PERSONNES
10 MIN DE PRÉPARATION
FACILE
COÛT €

MATÉRIEL
Blender

35 cl de lait de riz • 2 poignées de pousses d'épinards • 1 mangue • 1 cuil. à soupe de graines de chia • ½ avocat • 1 cuil. à soupe de purée de noix de cajou • 1 cuil. à soupe de sirop d'agave

1 Dans le bol du blender, versez le lait de riz. Ajoutez les pousses d'épinards lavées, la mangue épluchée et dénoyautée.

2 Ajoutez les graines de chia, l'avocat épluché ainsi que la purée de noix de cajou.

3 Enfin, versez le sirop d'agave et mixez à pleine puissance jusqu'à obtenir une texture onctueuse. Servez aussitôt.

ASTUCE
Remplacez les pousses d'épinards par de la salade ou du chou kale ou encore des graines germées d'alfalfa.

SANS
GLUTEN

TABLE DES RECETTES

TABLE DES MATIÈRES

MESURES ET ÉQUIVALENCES

MESURER LES INGRÉDIENTS

INGRÉDIENTS	1 CUIL. À CAFÉ	1 CUIL. À SOUPE	1 VERRE À MOUTARDE
Beurre	7 g	20 g	-
Cacao en poudre	5 g	10 g	90 g
Crème épaisse	1,5 cl	4 cl	20 cl
Crème liquide	0,7 cl	2 cl	20 cl
Farine	3 g	10 g	100 g
Liquides divers (eau, huile, vinaigre, alcools)	0,7 cl	2 cl	20 cl
Maïzena®	3 g	10 g	100 g
Poudre d'amandes	6 g	15 g	75 g
Raisins secs	8 g	30 g	110 g
Riz	7 g	20 g	150 g
Sel	5 g	15 g	-
Semoule, couscous	5 g	15 g	150 g
Sucre en poudre	5 g	15 g	150 g
Sucre glace	3 g	10 g	110 g

MESURER LES LIQUIDES

1 verre à liqueur	= 3 cl
1 tasse à café	= 8 à 10 cl
1 verre à moutarde	= 20 cl
1 mug	= 25 cl

POUR INFO

1 œuf	= 50 g
1 noisette de beurre	= 5 g
1 noix de beurre	= 15 à 20 g

RÉGLER SON FOUR

TEMPÉRATURE (°C)	THERMOSTAT
30	1
60	2
90	3
120	4
150	5
180	6
210	7
240	8
270	9

DANS LA MÊME COLLECTION

FAIT MAISON

Apéros
Apéros dînatoires
Barbecue et plancha
Biscuits et petits gâteaux
Bocaux, compotes et confitures
Chocolat
Classiques d'hier et aujourd'hui
Cocktails, jus et liqueurs
Cocottes et mijotés
Confitures, gelées et marmelades
Enfants : mon premier livre de cuisine
Étudiants
Fêtes maison
Foie gras et terrines
Gâteaux
Gâteaux de maman
Glaces, sorbets et granités
Grandes tablées
Grands classiques sucrés
Gratins et tians
La petite crèmerie
Macarons & meringues
Pains & viennoiseries
Pasta
Pizzas, quiches et cakes
Plats préparés à l'avance
Poissons & fruits de mer
Recettes pour bébés (0-3 ans)
Salades
Sauces, chutneys et marinades
Soupes et veloutés
Tartes
Wok

FAIT MAISON D'AILLEURS

Amérique du Sud
Asie
Cuisine créole
Enfants : mon premier livre de cuisine, recettes du monde
Espagne
États-Unis
Grèce
Inde
Italie
Japon
Liban
Maroc
Thaïlande
Vietnam

FAIT MAISON FRANCE

Bretagne
Provence
Recettes ch'tis

FAIT MAISON BON & SAIN

Desserts sans sucre
Détox
Graines, céréales et légumineuses
Pâtisserie autrement (sans gluten, sans œufs, sans sucre, sans lactose)
Sans gluten
Sans lactose
Sans sel
Superaliments
Vegan
Végétarien

REMERCIEMENTS

Merci à Arnaud, mon mari, le goûteur officiel de toutes mes créations culinaires, qui valide mes essais avec patience, humour et tendresse.
Merci à notre petit Nathan, nouveau testeur intransigeant mais toujours souriant devant la folle créativité de sa maman aux fourneaux.

Karen Chevallier

Le stylisme des photos a été réalisé par Coralie Ferreira, à l'exception des photos pages 63, 91, 93, 107, 135, 141, 149, 151, 155, 159 et 181 (Chae Rin Vincent).

Pour l'éditeur, le principe est d'utiliser des papiers composés de fibres naturelles, renouvelables, recyclables et fabriqués à partir de bois issus de forêts qui adoptent un système d'aménagement durable. En outre, l'éditeur attend de ses fournisseurs de papier qu'ils s'inscrivent dans une démarche de certification environnementale reconnue.

Direction : Catherine Saunier-Talec
Responsable éditoriale : Céline Le Lamer
Responsable de projet : Anne Vallet
Conception intérieure et couverture : Minsk-Studio
Responsable artistique : Antoine Béon
Réalisation intérieure : Les Paoistes
Fabrication : Amélie Latsch
Responsable partenariats : Sophie Morier (smorier@hachette-livre.fr)

Dépôt légal : mai 2016
79-7305-5/01
ISBN : 978-2-01-135651-2
Impression : Cayfosa, Espagne

Retrouvez-nous sur Facebook :
facebook.com/hachette cuisine

hachette PRATIQUE s'engage pour l'environnement en réduisant l'empreinte carbone de ses livres. Celle de cet exemplaire est de :
1,6 kg éq. CO_2
Rendez-vous sur www.hachette-durable.fr